生《せい》還《かん》せよ！自然災害の脅《きょう》威《い》

# 3分間サバイバル

あかね書房

もくじ


01 ― 迷走飛行《めいそうひこう》 …… 004
02 ― コアラの国の災難《さいなん》 …… 009
03 ― 姿《すがた》なき容疑者《ようぎしゃ》 …… 015
04 ― 湖畔《こはん》の家 …… 019
05 ― 白い恐怖《きょうふ》 …… 025
06 ― 雪中キャンプ …… 029
07 ― まさかの山道 …… 033
08 ― 山のSOS《エスオーエス》 …… 037
09 ― 秘密《ひみつ》の釣《つ》り場《ば》で …… 041
10 ― あたしを見つけて！ …… 047
11 ― 冷たいお兄さん …… 051
12 ― かわいすぎるサンダル …… 055
13 ― オランダの英雄少年《えいゆうしょうねん》 …… 059
14 ― あやしい人かげ …… 065
15 ― いつ・どこで・何が …… 069
16 ― 雪の夜の明暗 …… 075
17 ― 雨やどり …… 081
18 ― 究極の選択《せんたく》 …… 085
19 ― 脱出《だっしゅつ》、危機一髪《ききいっぱつ》！ …… 089
20 ― 海岸の松の木 …… 093
21 ― 新入局員は心配性《しんぱいしょう》 …… 099
22 ― 約束 …… 103
23 ― スズメが丘町《おかまち》に雨は降《ふ》る …… 109
24 ― 上か下か …… 115
25 ― 生きている証拠《しょうこ》 …… 119

26　歌の力 …… 123
27　平成の米《こめ》騒《そう》動《どう》 …… 127
28　竜《りゅう》のすむ海 …… 133
29　気がきく少年 …… 137
30　遠ざかる岸 …… 143
31　ふきげんな先《せん》輩《ぱい》 …… 147
32　お江《え》戸《ど》の大ピンチ …… 153
33　勇気ある司令官 …… 159
34　教訓 …… 167
35　5万人の失《しっ》踪《そう》 …… 173
36　大漁 …… 177
37　雪国 …… 181
38　リーダー面《づら》のあいつ …… 187
39　明るいキミ姉ちゃん …… 193
40　5月1日 …… 199
41　ガラスの器《うつわ》 …… 203
42　優秀《ゆうしゅう》な同《どう》僚《りょう》たち …… 209
43　退屈《たいくつ》な日曜日 …… 215
44　少年探偵《たんてい》ポロロと無人島 …… 219
45　少年探偵《たんてい》ポロロと生命の火 …… 225
46　少年探偵《たんてい》ポロロと砂漠《さばく》 …… 229
47　オタクの避難《ひなん》 …… 235
48　たった1人の救出劇《きゅうしゅつげき》 …… 241
49　SF《エスエフ》映画《えいが》のような朝 …… 245
50　もう川になんか行かない …… 249

# 01 迷走飛行《めいそうひこう》

## 逆転《ぎゃくてん》↓なぜ？

ジャンボ旅客機のコックピットにて。

夜の9時を過《す》ぎて――機長のヘンリーはふうっと大きく息を吐《は》くと、副操縦士《ふくそうじゅうし》のクリスに話しかけた。

「今夜はやけに雲が厚《あつ》いと思っていたが。クリス、これはどうも雲じゃないらしい。」

「雲じゃなければ何なんですか？　このエンジントラブルと関係があるんですか？」

「わからない……。」

この晩《ばん》はくもっていて月あかりもなかった。そして、航空機《こうくうき》のレーダーでさえ、空気中に浮遊《ふゆう》しているものの正体をとらえてはいなかった。

このときの2人は知るよしもなかったが――少し前に、遠くの火山が噴火《ふんか》していた。火山は広範囲《こうはんい》に高く噴煙《ふんえん》を上げ、この旅客機はその中につっこんでいたのである。火山灰《かざんばい》はエンジンの内部に吸《す》いこまれた。１４００度もの高温で瞬《また》く間に溶《と》かされた火山灰《かざんばい》は、エンジンにべったりとこびりつき、機能《きのう》を停止《ていし》させたのだ。

ヘンリーは額《ひたい》から流れ落ちる汗《あせ》をぬぐって、口を開いた。

「ダメだ。エンジンは4つとも停止《ていし》した。」

旅客機の高度はゆるやかに下がっていく。

「不時着するか、海に着水するか。ともかく……できるだけ時間をかせぐぞ。」

4つのエンジン、すべてが停止《ていし》してから12分が経過《けいか》した。

ふつうならば高度1万メートルを飛行しているのに――今や、高度4千メートルまで降下《こうか》している。

「機長、もうだめかも……。」

クリスの口から、つい弱音がこぼれた。

それでもヘンリーはひたすらにエンジンを再始動《さいしどう》させようとしている。

「いや、最後まであきらめないぞ！」

ヘンリーは何度目かの再始動《さいしどう》を試みた。すると。

「エンジンが復活《ふっかつ》した！」

乗客248人、乗員15人の命は救《すく》われた。

そして今や、さっきまで前方をおおっていた雲のようなもやも消え失せていた。

「また調子が悪くならないうちに、どこかに着陸しよう！」

後日、機体を調べた専門家《せんもんか》はこのように話した。

「1秒でも長く飛び続けようとした姿勢《しせい》が、故障《こしょう》の原因《げんいん》を解消《かいしょう》させたんです。突然《とつぜん》エンジンが復旧《ふっきゅう》したのは……すべてのエンジンが停止《ていし》したおかげですね。」

エンジンの熱で溶《と》けた火山灰《かざんばい》がこびりついたせいで、エンジンは機能停止《きのうていし》した。突然《とつぜん》エンジンが復旧《ふっきゅう》した理由は、なんと「エンジンが停止《ていし》した」ことにあった。どういうわけだったのか、推理《すいり》してみよう。

## 解説《かいせつ》　火山灰《かざんばい》

これは実際《じっさい》にあったケースを参考にした話である。火山灰《かざんばい》はエンジンの熱で溶《と》かされてエンジンにこびりつき、機能《きのう》を停止《ていし》させた。だが、全停止《ぜんていし》したおかげでエンジン内の温度はしだいに下がった。冷えて固形にもどった火山灰《かざんばい》がはがれ落ちたため、エンジンは復旧《ふっきゅう》したのだ。故障《こしょう》の原因《げんいん》を知らないまま、火山灰《かざんばい》が冷えるまで持ちこたえた機長の努力のたまものである。

月あかりのない真《ま》っ暗闇《くらやみ》では、火山灰《かざんばい》は雲かもやのようにしか見えない。現在《げんざい》ではこのようなケースを防《ふせ》ぐため、世界各国が手分けして担当区域《たんとうくいき》の火山噴火《かざんふんか》をチェックし、噴煙《ふんえん》の拡散予測《かくさんよそく》を通知しあうシステムが構築《こうちく》されている。

# 02

# コアラの国の災難《さいなん》

## 危険《きけん》↓なぜ？

後ろをチラッとふり返ると、自分の背《せ》たけの何倍もの高さの炎《ほのお》、そして真っ黒な煙《けむり》がもうもうと空に広がっている。

まるで映画《えいが》のセットみたいだが、これは現実《げんじつ》なんだ！

オレとマーティは、背後《はいご》にせまりくる炎《ほのお》から必死に逃《に》げていた。


大学卒業を目前に、同じ研究室の仲間と教授《きょうじゅ》を誘《さそ》ってオーストラリア旅行に来て……3日目の今日は二手に分かれて別行動だ。

ほかの2人と教授《きょうじゅ》はテーマパークに出かけていったが、オレたちは野生動物を観察しようと森林公園にやって来た。オーストラリアはコアラにカンガルー、エミューとか、珍《めずら》しい動物の宝庫《ほうこ》だからな。オレとマーティは、自然の中をぶらぶら歩くのが好きなんだ。草花や木、虫や鳥を観察してるだけでも退屈《たいくつ》しないからな。こんな暑い日だって、苦にならない。

そういえばちょっと、目がチクチクするなと思ったんだが。

「なんだか、煙《けむ》くないか？」

と、マーティに言われて初めて、異変《いへん》に気づいた。

「山火事だ！」

それから、全速力で走り出したんだ。


「川はないのか、川は！」

マーティがあえぎながらさけんだ。

ああ、たしかに……川があれば飛びこむのに。

今は水ってものが恋《こい》しくてたまらない！

火は上に向かって広がりやすいから、なるべく低いところへ。それから、風向きとは逆《ぎゃく》の方向へ逃《に》げる。

オレにもこのくらいの常識《じょうしき》はある。だけど、火の勢《いきお》いは猛烈《もうれつ》で、いつ追いつかれるかわからない。


燃《も》えるものがなくなれば、ある程度《ていど》でおさまるだろうけど。

残念ながら、その望みはうすそうだ。

なにしろ、この一帯はどこまで行っても樹木《じゅもく》と背《せ》の高い草やぶが続くばかり。地面はカラカラだし、草も木の枝《えだ》もそうとう乾燥《かんそう》しているだろう。


「ちょっとだけ休もう!」

マーティがひざからくずれるように地面に倒《たお》れこんだ。

「わかった。5分……いや、3分な。」

オレも息を切らしながら座《すわ》りこむ。足はガクガクだけど、生きのびるには走り続けるほかない。

オレとマーティはリュックの中から水を取り出すとゴクゴク飲んだ。それから、少し残った水を、頭からぶっかけた。

「さ、行くぞ。」

オレが屈伸運動《くっしんうんどう》をしながら立ち上がったとき。

「道が分かれてるぜ。」

マーティが前方を指さした。

ホントだ。右方向はこれまで通りの樹木《じゅもく》と茶色の草やぶ。左方向の道には――緑の森の入り口に「コアラ保護区《ほごく》」という表示板《ひょうじばん》が立っている。

「あっ、コアラがいるぞ！」

マーティは急に元気がよくなって左の道に走っていく。

コアラがユーカリの木の上で、緑の葉っぱをむしゃむしゃ食べている。

こいつら、危《あぶ》ないってわからないのかな。早く逃《に》げないと火に巻《ま》かれるのに。

「こっちに来いよ！　緑の葉が多いから、火が燃《も》え広がりにくいんじゃないか？」

マーティはどなりながら、コアラ保護区《ほごく》の中に入っていく。

ユーカリの緑の葉をちぎってみると、スッキリするような香りがしてちょっと気分がよくなった。そのとき、オレはふと思い出したことがあったんだ。

「マーティ、右だ。右に行こう。コアラ保護区《ほごく》に入るとよけい危《あぶ》ない！」


**主人公はなぜ「コアラ保護区《ほごく》」は危《あぶ》ないと判断《はんだん》したのだろうか。**

## 解説《かいせつ》　山火事

近年、温暖化《おんだんか》による気温の上昇《じょうしょう》も関係して、世界的に山火事が増《ふ》えている。特に大規模《だいきぼ》な火災《かさい》が多く発生しているのがオーストラリアだ。雨が極端《きょくたん》に少なく空気が乾燥《かんそう》していることに加え、ユーカリの木が多いことも山火事の原因《げんいん》に挙《あ》げられている。コアラの主食として知られるユーカリの葉には油分が多い。葉にふくまれるテルペンという油分は気体として空気中に放出されていて、気温が上がるとさらに量は多くなる。火がつくと、非常《ひじょう》に燃《も》えやすい樹木《じゅもく》なのだ。

主人公は、ユーカリが精油《せいゆ》（アロマオイル）の原料になっていることから連想し、「コアラ保護区《ほごく》」を避《さ》ける選択《せんたく》をしたのだ。ちなみにユーカリは山火事にあっても、燃《も》えやすい樹皮《じゅひ》がはがれ落ちるだけで幹《みき》は残り、その後も新しく芽吹《めぶ》いて成長を続けるという。

山火事とは、自然環境《しぜんかんきょう》での火事の総称《そうしょう》で、森林火災《しんりんかさい》、原野火災《げんやかさい》などの呼《よ》び方もある。

## 03

# 姿《すがた》なき容疑者《ようぎしゃ》

## 危機《きき》→逆転《ぎゃくてん》？

楽しいオーストラリア旅行はさんざんなことになった。山火事からなんとか逃《に》げのびたオレとマーティは、消防隊員《しょうぼうたいいん》に保護《ほご》された。軽い熱中症《ねっちゅうしょう》になっていて、病院で手当てを受けているところに教授《きょうじゅ》と仲間たちがかけつけてくれた。

「知らせを聞いたときは息が止まるかと思ったよ。無事でよかった！」

涙《なみだ》ぐんだ教授《きょうじゅ》や仲間に抱《だ》きしめられ、照れくさかったが――本当に危《あぶ》ないところだったんだなという実感がわいてきた。

どんなに恐《おそ》ろしい状況《じょうきょう》だったかを話すと、みんな熱心に聞いていた。しかし、しばらくすると教授《きょうじゅ》は急に声の調子を落として言ったんだ。

「今のうちに聞いておきたいんだがね。正直に言ってくれ。きみたちは、山でたき火か何かしなかったか？　それか、タバコの吸《す》いがらを捨《す》てたとか。」

オレは一瞬《いっしゅん》ですべてをさとった。

「つまり、オレたちは山火事の原因《げんいん》を作った疑《うたが》いをもたれてるわけですね？　たき火なんかしてませんよ。それにタバコだって。」

教授《きょうじゅ》はうなずいた。

「だが、マーティはときどきタバコを吸《す》うだろう？　じつはね、きみのリュックにライターが入っていたのを、もう警察《けいさつ》は調べずみなんだよ。」

マーティはイスから飛び上がった。

「今日はタバコは吸《す》ってませんよ。ホテルに置いてきましたからね。ライターは、恋人《こいびと》からの誕生日《たんじょうび》プレゼントだから、いつも持ち歩いてるだけなんです。」

それは、仲間うちのヤツらはみんな知ってることだった。

「そうか。それならいいんだが。わたしたちは旅行者で、つまりヨソ者だから――安易《あんい》に山で火を使ったんじゃないかと疑《うたが》っている人がいるらしくてね。」

「本当なんです。教授《きょうじゅ》、信じてください！」

真剣《しんけん》にうったえるマーティの肩《かた》を、教授《きょうじゅ》はなだめるようにやさしく抱《だ》いた。

せっかく生還《せいかん》したのに、困《こま》ったことになった。

「だけど、ほかに有力な容疑者《ようぎしゃ》がいなかったら……。オレたちが『火を使わなかったこと』をどうやって証明《しょうめい》できるんだ？　無実の罪《つみ》なんか着せられたくない！」

つい興奮《こうふん》して、デカい声を出すと。入口から看護師《かんごし》さんがひょいと顔をのぞかせて、こう言ったんだ。

「だいじょうぶですよ。この国ではね、犯人《はんにん》がいない山火事っていうのがときどき起こるんです。」


**看護師《かんごし》の言う「犯人《はんにん》がいない山火事」とはどういうことだろうか。そんなことがありうるのか。**

## 解説《かいせつ》　山火事

雨の量が少ないオーストラリアは、国土が極度に乾燥《かんそう》しがちだ。特に降水量《こうすいりょう》が少ないとき、気温が高く空気が乾燥《かんそう》した状態《じょうたい》が続くと、森林で自然発火が起こることがある。枯《か》れ葉や枯《か》れ草がこすれあって、摩擦《まさつ》で火種が生まれ、それが周囲《しゅうい》の木々《きぎ》などに燃《も》え広がるのだ。このように自然発火から大規模《だいきぼ》な山火事が起こるケースは、温暖化《おんだんか》にともなってヨーロッパでも増《ふ》えている。

日本は湿度《しつど》が高いため、こうした例は少ない。日本でもっとも多い山火事の原因《げんいん》はたき火。次いで火入れ（森林などでの焼却《しょうきゃく》）と、不注意が多い。自然発火で山火事が起こる原因《げんいん》には、ほかに落雷《らくらい》がある。

さて、主人公たちはというと森林公園に入った時刻《じこく》や場所、火災《かさい》発生の時刻《じこく》と場所などの検証《けんしょう》の結果、無事に無実が証明《しょうめい》されたという。

04

# 湖畔《こはん》の家

危険《きけん》↓なぜ？


アメリカ、ニューヨーク州の郊外《こうがい》にて。

ニューヨークは世界的な大都市だが、ジョセフィーヌの住む地域《ちいき》はカナダとの国境《こっきょう》に近い自然豊《しぜんゆた》かな土地である。

「湖の見える家に住みたい」という望みがかなって、今の住居《じゅうきょ》に引《ひ》っ越《こ》してきたのは20年前のこと。一人娘が結婚《けっこん》して家を出るのと、夫のピートが転勤《てんきん》になったタイミングが重なったのだ。

湖をのぞむ家はピートが勤《つと》める工場からも遠くなく、この夫婦《ふうふ》にとってまさに理想的な物件《ぶっけん》だった。

「今年の寒さは異常《いじょう》だったわね。」

ジョセフィーヌは、ロッキングチェアに座《すわ》って本を読んでいるピートに話しかけた。

「ああ、おかげでこの冬はだいぶ読書が楽しめたけどね。」

ピートの一番の趣味《しゅみ》は、クラシック音楽を聴《き》きながら読書をすることだ。退職《たいしょく》してからというもの、ジョセフィーヌが誘《さそ》わなければほとんど家から出ようとしない。

ニューヨークの冬はきびしい。例年、1～2月ごろは最低気温が氷点下20度くらいになる日がある。今年はとりわけすさまじく、氷点下30度近くを記録した日もあった。

3月ともなると春の訪《おとず》れが感じられるようになってきたが、まだ最高気温が10度に届《とど》かない日が多い。

ジョセフィーヌは食器を洗《あら》い終えるとピートのそばのソファに座《すわ》り、本に目を落としている夫の横顔をながめた。

「午後、いっしょに出かけたいと思ってるんだろう?」

ピートは本をふせると、ジョセフィーヌにほほえみかけた。

「なんでわかったの?」

「そりゃあ、なんとなくわかるのさ。さて、今日の天気は……?」

ピートはスマートフォンの上に指をすべらせている。

ジョセフィーヌは、ピートが自分の気持ちを察してくれたのがうれしかった。

だが、ぬか喜《よろこ》びできないことはわかっている。

ピートはかなりの出不精《でぶしょう》で、しかも慎重《しんちょう》きわまりない性格《せいかく》だ。雨が降《ふ》りそうな日は、まず出かけたがらない。

「ジョセフィーヌ、どうも街中は大変なことになってるらしいぞ。」

「どうしたの?」

「かなりの暴風《ぼうふう》のようだ。電線がちぎれたり、大木が倒《たお》れたりしているらしい。」

ピートは立ち上がって愛用のレコードプレーヤーを止めた。そして、二重窓《にじゅうまど》に歩み寄《よ》り、レースのカーテンを開ける。

「すごい風だ。」

ジョセフィーヌは夫の後ろから窓《まど》の外をのぞいた。たしかに遠くにそびえるモミの木も、強い風にあおられて枝《えだ》が激《はげ》しく揺《ゆ》れ、幹《みき》がかたむいている。この土地に住んで20年の間に経験《けいけん》したことがないほどの風が吹《ふ》き荒《あ》れている。

「これじゃ出かけるどころじゃないわね。」

ジョセフィーヌはため息をついてカーテンをしめた。

（せっかく豪雪《ごうせつ》のシーズンが終わったと思ったら、強風にとじこめられるなんて。）

音楽を止めてしまうと、ゴーゴーという風の音がやけに気になり、ジョセフィーヌは不安におそわれはじめた。

そのとき、ピートのスマートフォンからメールの着信を告《つ》げる音が鳴った。画面をながめるピートの顔はどんどんけわしくなっていく。

「避難勧告《ひなんかんこく》が来た。すぐに家を出るぞ。家がつぶれる危険《きけん》があるらしい。」

「避難《ひなん》？　この家はがんじょうだから、中にいたほうが安全じゃないの？　街とちがって飛んでくるものもないし。ここにあるのは凍《こお》った湖だけよ。」

「それが危《あぶ》ないって言ってるんだ！」

ピートはジョセフィーヌの手をつかみ、手早く貴重品《きちょうひん》をバッグに入れると家を飛び出した。

ジョセフィーヌはのちのち、こんなふうに語ったものだ。

「まさか、あのがんじょうな家がつぶれるなんてね。でも、あの出不精《でぶしょう》なピートが、すぐに出かけるって言うんだもの。ただごとじゃないと思ったわ。」


**この家の前には凍《こお》った湖しかない。家がつぶれてしまったのはなぜだろうか。**

## 解説《かいせつ》　アイス津波《つなみ》

湖の水は、記録的な寒波により厚《あつ》く凍《こお》っていた。しかし、気温がやや上がったために、その氷は少しずつ溶《と》けて割《わ》れはじめていたのだ。大量の巨大《きょだい》な氷のかたまりが湖に浮《う》かんでいる状態《じょうたい》で、大木がなぎ倒《たお》されるほどの暴風《ぼうふう》が吹《ふ》き荒《あ》れたときに何が起こるか。氷は暴風《ぼうふう》によって、湖から岸へと押《お》し寄《よ》せたのである。これを「アイス津波《つなみ》」という。

２０１３年にアメリカのミネソタ州で起こったアイス津波《つなみ》では、氷が20〜30メートルもの距離《きょり》を移動《いどう》して押《お》し寄《よ》せ、多くの家を倒壊《とうかい》させてしまった。氷の高さは約10メートルにもおよんだという。アイス津波《つなみ》は割《わ》れた氷と暴風《ぼうふう》という条件《じょうけん》がそろわなければ発生しない。氷のかたまりはゆるやかな傾斜《けいしゃ》の地形であるほど移動《いどう》しやすく、陸の上を数百メートル移動《いどう》したケースも報告《ほうこく》されている。

05

# 白い恐怖《きょうふ》

## 危機《きき》→逆転《ぎゃくてん》？

これまでスノーボードをやりに何度も雪山に来ているけど、ケイタはまさか自分がなだれにあうなんて思ってもみなかった。もちろん、だれでもそう思っているのかもしれないが――。

ゴーッという音が聞こえて「あれっ、もしかして」と思ったときには、それはもう近くにせまっていたのだ。

山の急斜面《きゅうしゃめん》を、ぶ厚《あつ》く巨大《きょだい》な白いじゅうたんのような雪がドドーッとすべり落ちてくる。

「なだれだ、逃《に》げろ！」

仲間のだれかの声が聞こえて、ケイタは力のかぎり走った。だが、すぐに追いつかれ、雪が体をさらっていこうとする。

（そうだ、「なだれにあったら泳ぐ動きをすればいい」って聞いたことがある！）

ケイタはけんめいにクロールのイメージで体を動かした。

顔がうまらないようにがんばったが、雪の勢《いきお》いは止まらず、ズブズブ体がしずんでいく。

しかし、雪にうまってしまう直前、とっさに両手で鼻と口のまわりをおおったのがよかった。次の瞬間《しゅんかん》、ケイタは雪の中にとじこめられていたが、とりあえず呼吸《こきゅう》ができていたのだから！

（早く雪を掘《ほ》って、外に出なくちゃ。）

とはいえ自分がどのくらい深くうまっているのかもわからず――そして、ケイタはもう一つ致命的《ちめいてき》な問題にぶつかっていた。

（掘《ほ》っていっても、どっちが上なんだ？）

ケイタは慎重《しんちょう》に口のまわりの雪をかいてスペースを作り、頭の上の雪を掘《ほ》り進んでみたが、地上に出られない。そもそも自分が正しい方向に進んでいるかもわからない——その不安に押《お》しつぶされそうな気持ちになる。

(こんなところで死ぬのかよ……。父さん、母さん、ごめん!)

熱い涙《なみだ》があふれた……そのとき。

ケイタは、どちらが「上」か、判断《はんだん》する方法を思いついたのである。


**主人公はどんな方法で、どちらが「上」かを判断《はんだん》したのだろうか。**

## 解説《かいせつ》　なだれ

主人公は目から流れ出した涙《なみだ》にヒントを得《え》た。そして、思いつきを確認《かくにん》するためにつばをたらしてみた。つまり、つばが流れ落ちていく方が下なのである。主人公は上に向かって雪をかき分け、自力脱出《じりきだっしゅつ》に成功した。

なだれのスピードは最高で時速200キロに達することもある。もしなだれにあったら、大声を出してまわりの人に自分のいる方向を知らせながら走って逃《に》げる。雪に巻《ま》きこまれたら泳ぐように体を動かして、しずむのを防《ふせ》ぐ。途中《とちゅう》に木や岩があれば、しがみつこう。雪にうもれそうになったら体を丸め、両手で鼻と口のまわりをおおって、呼吸《こきゅう》するスペースを作ること。

仲間が流されたら、その人から目をはなさずに巻《ま》きこまれた地点、うもれて見えなくなった地点を覚え、なだれが止まったらほかの人と協力して目印を立てる。目印を参考にして遭難者《そうなんしゃ》を探《さが》し、救出《きゅうしゅつ》したら体を温める、人工呼吸《じんこうこきゅう》などの応急処置《おうきゅうしょち》を行うこと。何より雪山に行くときは、必ずなだれ注意報《ちゅういほう》をチェックすることだ。

# 06

# 雪中キャンプ

## 危険《きけん》↓なぜ？

「雪の中でキャンプするっていいもんだね。また来たいよな。」

タイチは助手席から、名残惜《なごりお》しそうに雪景色をながめて言った。初めての雪中キャンプを体験するため、オレたちは県境《けんざかい》を2つまたいだ雪国にやってきていた。

何もかも最高だった。真っ白な雪の中でシチューを煮《に》こむのも、たき火をしながら熱いコーヒーを飲むのも。「たき火台」を買ったのは大正解《だいせいかい》だったな。足がついた金属《きんぞく》の台の上で火を燃《も》やすから、安全にかんたんにたき火ができる！

ところが、帰り道にケチがついた。雪が深いせいもあってか、道に迷《まよ》ってしまったんだ。ホントなら、深夜のうちに地元に帰ってるはずだったんだけど。

途中《とちゅう》でどうしようもなく眠《ねむ》くなってきた。タイチも「急いで帰らなくてもだいじょうぶ」だと言うから、ちょっとだけ仮眠《かみん》をとることにしたんだ。


トイレに行きたくなって目が覚めると、朝方の4時だった。

ちょうど公園のそばに停《と》めてよかった！　トイレをすませてあたりを見回す。

家々《いえいえ》の屋根には厚《あつ》く雪が積もり、どこの軒先《のきさき》からもつららがたれ下がっている。

屋根つきの小さな休憩所《きゅうけいじょ》のベンチに腰《こし》かけると、タイチも車から下りてきた。

「眠気覚《ねむけざ》ましにコーヒーでも飲みたいな。ここでわかしたらまずいかな？」

「だれも起きてこないし。さっさと切り上げればいいんじゃない？　ついでにたき火もやろうよ。すぐに片《かた》づけられるし。」

雪あかりでうす明るく、しんと静まりかえっている雪と氷の世界。テーブルくらいの高さのたき火台に着火剤《ちゃっかざい》と細いまきをならべて火をともすと、オレンジ色の炎《ほのお》がぼおっと燃《も》え上がる。パチパチ火が燃《も》える光景は、心が落ち着くんだよな。

オレもタイチも口をきかず、コーヒーのマグを手に持ったまま、じっと炎《ほのお》を見つめて……気がついたら、ずいぶん明るくなっていた。

そのとき、近くの民家の戸が開いて、おじいさんがオレたちをにらみつけた。

「あんたたち、何やってんの⁉　公園で火を使ったらダメだってわかんないの？」

オレたちはあやまりながら片《かた》づけたが、おじいさんははき捨《す》てるように言ったんだ。

「この人殺《ひとごろ》しどもが！」

オレたちは顔を見合わせた。たしかによくなかったけど、風もないし。そこらに燃《も》え広がるような大きな火じゃないのに。


**おじいさんは、なぜ主人公たちを「人殺《ひとごろ》し」呼《よ》ばわりしたのだろうか。**

## 解説《かいせつ》　つらら

おじいさんは火災《かさい》の心配をしたのではない。たき火によって空気が温まり、休憩《きゅうけい》所の屋根からたれ下がっているつららが落ちることを心配したのだ。

つららは、屋根に積もった雪が溶《と》け、水になってしたたるときに冷やされて、再《ふたた》び凍《こお》ったもの。建物の軒下《のきした》などから棒状《ぼうじょう》にのびた氷である。先が鋭《するど》くとがっているので落下したものが当って、大けがをすることがある。実際《じっさい》に死亡事故《しぼうじこ》につながったケースもあるのだ。

おじいさんにつららのことを説明されて、主人公たちはようやく理解《りかい》した。そこであらためてあやまり、道具を借りて休憩所《きゅうけいじょ》の屋根の雪とつららを全部落としたのである。

たくさん雪が積もっていたり、つららが下がっている軒下《のきした》では遊ばないこと。屋根から落ちた雪に巻《ま》きこまれるのは、雪山のなだれと同じくらい危険《きけん》なのだ。

07

# まさかの山道

## 失敗→なぜ？

まさか。まさか……なぁ。

「ねえ、もしかして道に迷《まよ》ったんじゃない？」

オレもそうかもと思ってはいたんだ。でも、お客さん気分であとをついてきた妹のユリノにずけずけ言われると、腹立《はらた》つんだよな。

高校生になって初めての夏休み。オレは親友のタケをさそって山登りにやってきた。きのう、家でタケと盛《も》り上がってたら、ユリノが「あたしも行きたい！」って言いだして。タケも「いいじゃん、ユリノちゃんもいっしょに行こうよ」って言うから（タケは、ユリノのことをちょっと好きみたいなんだよな）しぶしぶOK《オーケー》したんだけど。

山って言っても小学校のころ遠足で来たとこだし、まさか道に迷《まよ》うなんて。

「変わった鳥がいる」とか「キノコが生えてるぜ」とか、わき見しながら気ままに歩いてるうちに、山道からはずれてしまったらしい。

「でも、下へ向かって進めば必ず山を下りられるよな？　とにかく下へ向かおう。」

「なるほど。そうだな。」

タケも賛成《さんせい》してくれた。よし、これでいこう。

もくもくと歩き続けたが、少し日がかげってきたからさすがにあせる。

あ〜、早く舗装《ほそう》された道が見たい！

そんな気持ちでいっぱいになっていたとき、タケがうれしそうな声を上げた。

「見ろよ、沢《さわ》だ！」

タケの指さすほうを見ると、細い川が流れている。

「この川にそって下りていけば、そのうちふもとにつくんじゃないか？」

しかし、下りは意外とつかれるものだ。休けいをとる回数も増《ふ》えて、前を歩くタケのリュックサックには夕ぐれの光が注ぎはじめた。
「うわっ！」
足を止めたタケの背後《はいご》から、前方を見たオレは絶望的《ぜつぼうてき》な気持ちになった。
視界《しかい》の先は……断崖絶壁《だんがいぜっぺき》だったのだ。
このまま帰れないいんじゃないかという恐怖《きょうふ》で足がふるえてきた。
どうして、いつまでたってもふもとに着かないんだ⁉
もっと早く認《みと》めるべきだったんだ。
オレたちは遭難《そうなん》してるってことを。

道に迷《まよ》った主人公たちは、山を下へと向かったあげく崖《がけ》につきあたってしまった。彼《かれ》らの判断《はんだん》はどこでまちがったのだろうか。

## 解説《かいせつ》　山で道に迷《まよ》ったら

山で道に迷《まよ》った場合の鉄則《てっそく》は2つある。1つめは、道をまちがえたと思ったら「もと来た道を引き返す」こと。主人公が意地を張《は》って進み続けたのは痛恨《つうこん》のミス。早い段階《だんかい》で引き返せば、正しいルートにもどれる可能性《かのうせい》が高いのだ。

2つめは、山を下りようとしないこと。山の知識《ちしき》がない人は「下へ向かえば必ずふもとに着く」と考えがちだが、これは大まちがいだ。特に、沢《さわ》にそって下りていくのは絶対《ぜったい》やってはいけない。沢《さわ》を下ると、ほぼ滝《たき》や崖《がけ》につきあたってしまう。落ち葉や岩場で転び、崖《がけ》の下にすべり落ちてしまう危険《きけん》もある。先が見通せない「下」に向かって歩くのは無謀《むぼう》。引き返すルートもわからなくなってしまった場合は上へ、なるべく見通しのよい場所へ向かうべき。

最近は山でもスマートフォンがつながりやすくなっているが、絶対《ぜったい》ではない。初級者向けの山でも遭難事故《そうなんじこ》は多発している。気をゆるめずに歩く心がまえが大切だ。夜の山は夏でも気温が低くなり、命を脅《おびや》かす危険《きけん》がある。

08

# 山のSOS《エスオーエス》

危機《きき》↓対処《たいしょ》？


「だいじょうぶ。きのうのうちに帰るはずだったんだから、朝になったらきっと探《さが》しに来てくれるよ。行き先は知らせてきたんだし。」

きのうから、何度同じことを言っただろう。

ほんのハイキングのつもりで山に登ったオレたち3人は遭難《そうなん》してしまったんだ。日帰りの予定だったから、テントなんてない。雨を警戒《けいかい》して、服を多めに持ってきてたおかげで一夜を無事に過《す》ごすことはできたけど。

食べ物は、もうほとんどない。

朝食はクラッカー1枚《まい》。水はペットボトルのキャップに3杯《ばい》ずつ。沢《さわ》の水は安全かわからないから、飲まないことにした。

「お兄ちゃん、お水、これだけなの？」

ユリノが不満そうに言った。自分の水筒《すいとう》はとっくに空っぽなくせに。内心「オレが多めに水を持ってきたおかげで、日干《ひぼ》しにならないですんでるんだからな！」って言いたい気持ちでいっぱいだったけど。

だまってると、タケが口を開いた。

「天気もいいし、もう少し歩いてみたらどうかな？」

「でも、きのうあれだけ歩き回ってダメだったんだ。動き回らないで体力を温存《おんぞん》した方がいい。水も食べ物もないんだし。」

そのとき。バラバラ……という音がして、オレたちはいっせいに空を見上げた。

「ヘリコプターだ！」

3人とも一気に元気になって、両手を上げてさけんだりしたけど。

ヘリコプターは上空をグルグル回るばかり。頭の上には木の葉が茂《しげ》ってるから見つけてもらえないかも。そう思ったらゾッとした。

オレは、夢中《むちゅう》でリュックをかき回した。見つけてもらうには合図を送らなくちゃ！

「おい、おまえら！　黄色とか赤のタオルとか、目立つ色の持ってないのか⁉」

「お兄ちゃんだって持ってないくせに。バカみたいにギャアギャア言わないでよ。」

ユリノがイヤな言い方をしたから、オレはムカついて……ユリノのリュックを逆《さか》さにふった。バカみたいなのはそっちだろ。山登りにパンダのぬいぐるみだの、でっかいメイクポーチなんか持ってきて！

ところが、そのときタケが冷静な口調で言ったんだ。

「ユリノちゃん、ナイス！　これで助けが呼《よ》べるよ！」


**タケは、ユリノが持っていたものでヘリコプターに合図ができると考えた。何をどのように使うつもりなのだろうか。**

## 解説《かいせつ》　鏡を使う合図

タケはユリノのメイクポーチに入っていた鏡を太陽に反射《はんしゃ》させた。こうしてヘリコプターに合図を送ることに成功し、3人は無事に救出《きゅうしゅつ》されたのだ。

鏡で合図を送るコツは次の通り。片手《かたて》を前に出し、ピースサインを作って、人差し指と中指の間に目標（ヘリコプター）がおさまるようにかまえる。もう片方《かたほう》の手で鏡を持ち、ピースサインに光が当たるように太陽光を反射《はんしゃ》させれば、ヘリコプターに光が届《とど》きやすくなる。

ヘリコプターに助けを求めるときは、見通しがいい場所であれば服などを頭の上で円を描《えが》くように大きく振《ふ》り回す。

いざというときのために「SOS《エスオーエス》」のモールス信号（トントントン・ツーツーツー・トントントン）も覚えておこう。夜に懐中電灯《かいちゅうでんとう》の光を点滅《てんめつ》させたり、ホイッスルで音を出して信号を送ることもできる。

09

# 秘《ひ》密《みつ》の釣《つ》り場《ば》で

危《き》険《けん》↓なぜ？


釣《つ》りを始めてから、オレもいつかブラックバスを釣《つ》りたいと思ってた。

だから、マキトに「うちの高校の先輩《せんぱい》が、ブラックバスが釣《つ》れる秘密《ひみつ》のスポットを教えてくれたんだ。いっしょに行かないか？」と言われたときは舞《ま》い上がったよね。

近場のバスが釣《つ》れる川はいつも人がいっぱいで、初心者のオレたちは腰《こし》がひけちゃうからさ。すいてるとこを探《さが》そうとしたけど、インターネットに情報《じょうほう》がのってる場所なんて、穴場《あなば》でもなんでもないし。

「『あんまり言いふらすな』って言われてるから、ほかのヤツにはヒミツな。」

マキトは道々《みちみち》、自転車をこぎながら何度も念を押《お》した。

そして、30分くらい自転車を走らせたころ、マキトは畑の広がる道ぞいの木かげに自転車をとめて、指さしたんだ。

「あれだ。」

「へえ、こんなところに湖があるなんて全然知らなかったな。」

「湖じゃないよ。あれは、ため池。」

ため池ってのは、農家の人が水不足に備《そな》えて水をためている人工的な池なんだって。

近くまで来てみると、斜面《しゃめん》がコンクリートで舗装《ほそう》されているのが見えた。なるほど、超《ちょう》デカいプールみたいなもんか。

「立入禁止《たちいりきんし》」って書いてあるけど、マキトはまわりをチラッと見ただけで、堂々《どうどう》とロープをくぐっていく。

いいのかな。見つかったら逮捕《たいほ》されたりしないのかな?

オレの不安を感じとったのか、マキトはふり向いて言った。

「だいじょうぶだって。先輩《せんぱい》はここで釣《つ》ってるんだから。来いよ!」

釣《つ》りを始めたら、不安なんてすぐに消しとんでしまった。

ブラックバスはおもしろいように釣《つ》れたんだ。いやぁ、来てよかった。

こんないい場所を教えてくれたマキトの先輩《せんぱい》に感謝《かんしゃ》だ。

しかし……ちょっとはだ寒くなってきたな。さっきまで秋晴れのいい天気だったのに、雲が出てきたら急に空気がひんやりして感じられる。

「ぼちぼち切り上げる？」

「じゃああと30分でシメよう。どっちが多く釣《つ》れるか競争だ！」

マキトはこう言い放つと、ピョンと飛び上がった。ところが、着地するときにずっこけて、コンクリートの斜面《しゃめん》をゴロゴロ転がり落ちたんだ。

バシャーン！

「マキト！　だいじょうぶか⁉」

マキトは照れかくしなのかゲラゲラ笑いながら、ピースサインを出してみせる。

そうだ。心配するまでもなく、マキトは運動神経《うんどうしんけい》バツグン、スポーツ万能《ばんのう》なんだった。特に水泳は小学生のころから本格的《ほんかくてき》にやっていて、今も毎年県大会に出場してるくらいだ。ここは海や川とちがって流れもない人工池だしな。

マキトは斜面《しゃめん》に両手をついてバタバタとたたくと、白目をむいてそり返り、また背中《せなか》から池につっこんだ。バシャーン！

オレは腹《はら》をかかえて笑いころげた。マキトは勢《いきお》いよく上がろうとして水面に倒《たお》れるのをくり返してみせる。一回ウケたからって、ふざけすぎだろ！

「いい加減《かげん》に上がってこいよ！」

オレは釣《つ》りざおを置いて、座《すわ》りこんだ。ところが……マキトの表情《ひょうじょう》は、さっきとちがって真剣《しんけん》そのものじゃないか。

「マジで上がれないんだ！」

斜面《しゃめん》の角度はせいぜい公園のすべり台くらいだ。これで上がれないって？

マキトは必死に上がろうとしても上がれず、落ちるたびに遠ざかってるようにも見える。オレはだんだん恐《おそ》ろしくなってきた。

もしかして、ため池の中に何か得体《えたい》の知れない生物がいて、引きずりこまれてるのかも……。

そのとき、後ろからわれ鐘《がね》のようなどなり声がした。

「おい！　立入禁止《たちいりきんし》って書いてあるだろうが！」

こわい顔でにらみつけているおじさんに、オレはすがりついた。

「ごめんなさい！　あの、友だちがあそこに……助けてください！」

おじさんはカッと目を見開いた。だが、すぐに「無理だ」とつぶやいて、走り去ってしまったんだ。こんな言葉を残して。

「いいか。おまえ、絶対《ぜったい》に助けようとするなよ。無理だからな！」


マキトは泳ぎが達者で、運動神経《うんどうしんけい》がいい。なぜ、このため池から上がることができないのだろうか。

## 解説《かいせつ》　ため池

ため池とは、農業用水を確保《かくほ》する目的で、人工的に作られた池だ。形はすり鉢状《ばちじょう》で、25〜30度くらいの斜面《しゃめん》がある。この傾斜角度《けいしゃかくど》は一般的《いっぱんてき》なすべり台と同じくらいで、楽に上れそうに見える。そこがため池の危険《きけん》なところだ。ため池で命を落とす人は多く、レスキュー隊員でさえ1人で脱出《だっしゅつ》するのは無理といわれる。

コンクリートの斜面《しゃめん》はつかまるところがない。斜面《しゃめん》に手の平をつけただけで体を「ななめ上」に引き上げるのは不可能《ふかのう》だ。水中の斜面《しゃめん》に足をついてもコケですべり落ちる。はずみをつけ、斜面《しゃめん》に飛び上がろうとしてもダメ。足がつかない水中では、体を水面上に出せるわけがない。上がろうとしては落ちるのをくり返すうちに深みにはまり、体力を消耗《しょうもう》しておぼれてしまうアリ地獄《じごく》のような存在《そんざい》なのだ。

おじさんがすぐに119番通報《つうほう》をしに走ったおかげで、マキトは無事救出《きゅうしゅつ》された。ため池には絶対《ぜったい》に近寄《ちかよ》らないこと。人が落ちても助けようとしてはいけない。万が一落ちたら、はい上がろうとせずに体を浮《う》かせてプロの救助《きゅうじょ》を待つことだ。

## 10

# あたしを見つけて！

危《き》険《けん》↓対《たい》処《しょ》？


揺《ゆ》れがおさまってからも、あたしはなかなか机《つくえ》の下から出られなかった。

ようやく胸《むね》のドキドキがおさまって……そろそろ出てみようかなと思ったときになって初めて気づいたんだ。出られないことに。

大きい本棚《ほんだな》が机《つくえ》の方に倒《たお》れてる。もし机《つくえ》の下に入るのがおくれたら、頭をぶつけてたかもしれない。床《ゆか》にはたくさんの本、ぬいぐるみたち、文房具《ぶんぼうぐ》とかがめちゃくちゃに積み重なってる。

あたしは本棚《ほんだな》と机《つくえ》のすき間から、そうっと頭を出してみた。

ダメだ。この本棚《ほんだな》を動かさないと出られそうにないけど、1人で支《ささ》えるのは絶対《ぜったい》ムリ！　それに、目の前にはせとものの貯金箱《ちょきんばこ》やガラスビンの割《わ》れた破片《はへん》が散らばってるから、ケガしちゃいそう。

こんなひどい地震《じしん》で、外はどうなってるんだろう。

うちにいるのはあたしだけ。パパとママはお仕事中のはず。みんな、だいじょうぶかなぁ。

そのうちだれか帰ってくるにしても……それまでに、また大きく揺《ゆ》れてうちがつぶれちゃう可能性《かのうせい》だってある。

なんとかして助けを呼《よ》ばなきゃ。

窓《まど》は開けっぱなしになってたから、大声を出せば聞こえるかも。

あたしは机《つくえ》の下から顔を出すと、「助けて！」と何度もさけんだ。

だけど、だれも助けには来てくれない。

本棚《ほんだな》とか物がかべになって、外まで声が届《とど》かないのかも。

防犯《ぼうはん》ブザーも、キーホルダーにつけたホイッスルもランドセルの中だ。あ〜あ、かんじんなときに！

ランドセルは机《つくえ》の横にかかってて、手がとどかない。

外からはチッ、チチッと鳥の声が聞こえてくる。鳥はすごいな。あんなに小さいのに、響《ひび》く声が出せるなんて。

そうだ。もしかして……。

それから少しして。窓《まど》から近所の人が入ってきてくれて、あたしはめちゃくちゃになった部屋から脱出《だっしゅつ》することができたんだ。


**主人公は、何らかの道具を使って助けを呼《よ》ぶことに成功した。何をどのように使ったのだろうか。**

## 解説《かいせつ》　5円玉のホイッスル

主人公の手のとどくところには、割《わ》れた貯金箱《ちょきんばこ》があった。主人公は、その中にあった2枚《まい》の5円玉を使い、ホイッスルのように鳴らしたのだ。

やり方はこの通り。親指と人さし指で2枚《まい》の5円玉を重ね、穴《あな》を自分の方に向けて持つ。5円玉の間を、5ミリから1センチくらい開ける。そして、穴《あな》から勢《いきお》いよく息を吹《ふ》きこむだけ。上手に吹《ふ》けば、ピーッとかなり通る音が出せるのだ。

災害用《さいがいよう》のホイッスルなどを持っていても、手元にない場合がある。口笛や指笛などを練習しておくと、いざというときに役に立つかもしれない。

# 11

# 冷たいお兄さん

## 危険《きけん》↓なぜ？

さっきの地震《じしん》は震度《しんど》6だったらしい。パパ、ママとも連絡《れんらく》がとれて……2人とも無事だってわかってホッとした。

でも、電車が動いてなくて、何時に帰れるかわからないんだって。それで、あたしを助けてくれたとなりのスガワラさんちに行くことになったんだ。

スガワラさんちでは、おじさんと大学生のユウマさんが部屋の片《かた》づけをしてるところだった。ユウマさんって冷たそうでちょっと苦手なんだけど……まあ、そんなこと言ってる場合じゃない。おじさんが「ケガがなくてよかったね。ゆっくりしていってよ」とやさしく声をかけてくれてホッとした。

「さあ、何か食べようか。ミトちゃんもおなかすいたでしょ？」

スガワラのおばさんは手ぎわよくサンドイッチを作り、缶詰《かんづめ》やバナナを並《なら》べる。

「かんたんなものでごめんね。また余震《よしん》があるかもしれないし、あまり火を使いたくないの。」

そっか、余震《よしん》にも気をつけなきゃいけないんだね。遠慮《えんりょ》なくパクパク食べておなかいっぱいになったころ、ドアホンが鳴った。パパかママかなと思ったら……そこには、向かいのウメミヤさんのおばあちゃんが真っ青な顔で立っていたんだ。

「助けて！　今やっと帰ってきたら、おじいちゃんが下じきになってるの！」

みんなでウメミヤさんの家にかけつけると……ウメミヤさんのおじいちゃんが折り重なって倒《たお》れてる棚《たな》の下じきになってたんだ。あお向けで、下半身をはさまれてるおじいちゃんの顔を、おじさんがのぞきこんだ。

「だいじょうぶですよ、すぐにみんなで棚《たな》をどけるから！」

元気づけるように言うと、おじいちゃんは弱々《よわよわ》しく口を開いた。

「ありがとう。足がしびれて感覚がなくてね。」

スガワラさんのおじさんとおばさんが、棚《たな》に指をかける。あたしも手伝う！

だけど、重くてなかなか持ち上がらない。

電話で救急車《きゅうきゅうしゃ》を呼《よ》んでいるユウマさんに、スガワラさんのおじさんがどなった。

「ユウマ、おまえも早く手伝え！」

ところが、ユウマさんはおじさんの手をつかんで言ったんだ。

「これを持ち上げちゃダメだ。救急車《きゅうきゅうしゃ》はすぐ来るから。」

あたしは、冷静な顔でかまえているユウマさんをにらんだ。おじいちゃん、こんなに苦しそうなのに、どうして助けようとしないの？


**大人が4人もいるのだから、倒《たお》れた棚《たな》を起こすことは難《むずか》しくない。ユウマは、なぜ「持ち上げてはダメだ」と言ったのだろうか。**

## 解説《かいせつ》 クラッシュ症候群《しょうこうぐん》

家具や建物の下じきになった場合。長時間（目安は1時間以上）はさまれていた場合は、圧迫《あっぱく》から急に解放《かいほう》されると「クラッシュ症候群《しょうこうぐん》」という命にかかわる障害《しょうがい》を起こすことがある。下じきになったときに損傷《そんしょう》を受けた筋肉《きんにく》からは毒性物質《どくせいぶっしつ》が発生する。解放《かいほう》されたことで、滞《とどこお》っていた血流が流れ出すと毒性物質《どくせいぶっしつ》も全身に運ばれ、心不全や腎不全《じんふぜん》などをもたらすのだ。「はさまれていた部位の感覚がない」場合、クラッシュ症候群《しょうこうぐん》を起こす可能性《かのうせい》が高い。すぐに助けてあげたくても、119番に通報《つうほう》し、救急隊《きゅうきゅうたい》に処置《しょち》をまかせた方がいい。

また、長時間体を圧迫《あっぱく》されていて助け出された場合、その場では異常《いじょう》がなくても、すぐに病院に行くこと。だれでもできる応急処置《おうきゅうしょち》としては、血液中《けつえきちゅう》の毒素《どくそ》の濃度《のうど》を下げるため、1リットル以上の水を飲ませること。

ウメミヤ家のおじいさんは救急隊員《きゅうきゅうたいいん》の応急処置《おうきゅうしょち》を受けて病院に運ばれ、無事に回復《かいふく》したという。

12

# かわいすぎるサンダル

危険《きけん》→なぜ？


「ママ、そういえばさ。ユマはずいぶんおしゃれしてたけど、どこに行ったんだ？」

ユマが出かけたあと、パパはよくこんなふうに聞いてくる。

中学生になってユマは前よりおしゃれにこだわるようになったから……パパとしては、恋人《こいびと》でもできたんじゃないかと気になってしょうがないんだよね。

ユマがまだ小さいころから、パパはよく言ってたっけ。

「ユマはただでさえかわいいんだから、あんまりかわいい服を着せない方がいい。変な男がよってきたり、芸能界《げいのうかい》にスカウトされないか心配だ」……なんて。

親バカだなあと思うけど、娘《むすめ》を持つ父親ってみんなこんな感じかな？

ある日曜日。あたしとパパ、ユマは3人で駅前のデパートにいた。ユマがついてきたのは、ねだりたい物があったからだ。

「今日はダメ。こないだも新しい服買ってあげたばっかりでしょ。」

と言うと。ユマは「だって来週、遠足で川遊びに行くからさぁ」と、頼《たよ》るようにパパを見上げる。

「そうか。じゃあ、いいのがあったらパパが買ってあげるよ。」

「わーい、パパ大好き！」

ユマに腕《うで》を組まれて、パパはうれしそうに目じりを下げる。

ユマは、キラキラのラインストーンがついたビーチサンダルを持ってきた。ショートパンツからスラッとのびた足によく似合《にあ》ってて、ちょっとモデルさんみたい。

だけど、パパはまゆをひそめて言ったんだ。

「おしゃれすぎるんじゃないか？」

「え？　こんなの全然フツーだよ。めちゃくちゃかわいいし。」

「でも、川遊びだろ？　このサンダルはかわいすぎるよ。」

「いいの、これが気に入ったんだもん。ね、すっごく大切にするから。」

すると、パパはモゴモゴしながらおかしなことを言ったんだ。

「うん、パパもステキだと思うよ。だからこそ心配なんだ。ユマ、もっとかわいくないサンダルを探《さが》してきなさい。」


**パパは、ユマが気に入った「かわいいサンダル」は買ってあげたくないらしい。パパはどんなことを心配しているのだろうか。**

## 解説《かいせつ》　川の事故《じこ》

子どもの水難事故死《すいなんじこし》の事例は、海より川が多い。そのなかで、ぬげて流されたサンダルを追いかけようとして自分も流されてしまう事故《じこ》はかなり多いのだ。パパは、サンダルがユマにとって「大切」であるほど、こんな危険《きけん》が高まることを心配したのだ。結局、「流されても絶対《ぜったい》に拾おうとしない」ことを約束させ、かわいいサンダルを買ってあげることになった。サンダルに限《かぎ》らず、「川でものを流されても絶対《ぜったい》に追いかけない」のは鉄則《てっそく》だ。

浅い川でも油断《ゆだん》は禁物《きんもつ》。浅くても流れが速い場所があるし、急な深みにはまりかねない。川底の藻《も》や水草ですべったり、岩につまずいて転ぶ危険《きけん》もある。流されたときに岩で頭を打って気絶《きぜつ》したり、ケガをすることも。あっというまに急流にさらわれて、滝《たき》つぼに転落するケースもあるのだ。本来はライフジャケットを着用するのがベスト。大雨のあと、増水《ぞうすい》した川では特に注意が必要だ。川に入って遊ぶなら、ひざ下くらいの水深までで、流れがゆっくりの場所を選ぶこと。

# 13 オランダの英雄少年《えいゆうしょうねん》

## 危険《きけん》↓なぜ？

「おじいちゃん、洪水《こうずい》にあったことない？」

「いや、ないね。ショーン、どうしてだい？」

ぼくはため息をついた。「おじいちゃんは昔、堤防《ていぼう》がある大きな川の近くに住んでた」ってママが言ってたから、もしかしたらと思ったのに。

「自由研究のテーマを『洪水《こうずい》』にしようと思ったからさ。」

ぼくがこれを思いついたのは、親友のハリーが「竜巻《たつまき》」をテーマにするって言ったのに影響《えいきょう》されただけなんだけどね。ハリーのおじさんは、ものすごい竜巻《たつまき》にあったことがあるんだって。インターネットや事典で調べるだけじゃなくて、実際《じっさい》に体験した人の話が聞けたらいいよね。

「そういえば。おじいちゃんがショーンくらいのころ……あれは小学校3年のときだったかな。担任《たんにん》の先生が、洪水《こうずい》から村を守った勇敢《ゆうかん》な少年の話をしてくれたことがあるよ。」

「え、それを聞かせてよ！」

ぼくはペンとノートを持って、前のめりになった。


「この話の舞台《ぶたい》は、オランダだ。オランダという国は、多くの陸地が海面より低くて、そこらじゅうに堤防《ていぼう》があるそうだ。堤防《ていぼう》は知ってるな？　川や海の水があふれるのを防《ふせ》ぎ、住宅《じゅうたく》のある地域《ちいき》を守るためにつくられた大きな壁《かべ》みたいなものだ。

ある秋の日の午後。ハンスという8歳《さい》の少年は、堤防《ていぼう》の向こうに住んでいるおじさんを訪《たず》ねていった。その帰り道、運河《うんが》のふちを歩いていたハンスは、運河《うんが》の水が増《ふ》えているのに気づいたんだ。運河《うんが》というのは、水路だな。船が通る道みたいなものだ。土地が低くて、海や川があふれやすいから、運河《うんが》にはそのあふれた水を逃《に》がす役目もある。

さて、そのときハンスは頭の上からチョロチョロと水が流れる音がするのを聞いた。見上げると、堤防《ていぼう》の上の方になんと小さな穴《あな》があいていて、そこから水が少しずつ流れ出ていたんだ！

穴《あな》は少しずつ大きくなっている。ほうっておいたらどうなるか。大量の水があふれだし、村は洪水《こうずい》にのまれてしまうだろう……。

こうしているうちにも、取り返しがつかないことになる。

そう考えたハンスは堤防《ていぼう》をよじのぼると、自分の右腕《みぎうで》を穴《あな》にすっぽりつっこんだんだ。」

「えっ、堤防《ていぼう》の穴《あな》を自分の腕《うで》でふさいだわけ？」

ぼくはメモをとる手を止めて、おじいちゃんの顔をのぞきこんだ。

「そうだ。ちょうど長雨が続いた影響《えいきょう》で増水《ぞうすい》していたんだな。しかも、近くには家がない。ハンスは走って人を呼《よ》びに行っている間に堤防《ていぼう》が決壊《けっかい》する危険《きけん》があると考えたわけだ。」

「ハンスは大声で『だれか、いませんか〜』とさけんだが、だれもやってこない。そのうちに日が暮《く》れて、寒くなりはじめた。水にひたった腕《うで》は冷たくなってきた。だけど、自分がここからはなれてしまったらどうなるか。村を守るために、ハンスは意地でもここを動かない覚悟《かくご》を決めたんだ。

村人が通りがかり、ぐったりと眠《ねむ》りこんでいるハンスを見つけたのは夜が明けて、空が明るくなりはじめたころだった。

『おい、どうしたんだ?』と、かけよった村人はハンスが腕《うで》を堤防《ていぼう》の穴《あな》につっこんでいるのを見て、すべてを理解《りかい》したんだ。」

「ハンスは死んじゃったの?」

「いや、無事だったよ。それから大人がたくさんやって来て穴《あな》を直したそうだが、ハンスがいなかったら夜のうちに村は洪水《こうずい》で流されていただろうと、みんなはハンスの勇気をたたえた。」

ぼくは、自分の腕《うで》をながめた。

「本当にそんなことできるのかなあ？」

「これは学校の先生から聞いた話だぞ。それにオランダには今もハンス少年の銅像《どうぞう》があるんだよ。」

うーん、すごい話だ。そんなことがあったら、ぼくもやってやろう！

もしかしたら、ぼくも英雄《えいゆう》として銅像《どうぞう》になったりするかもしれないよね。


**堤防《ていぼう》の穴《あな》に腕《うで》を入れて、水もれを止める。そんなことが可能《かのう》なのだろうか。**

## 解説《かいせつ》　堤防《ていぼう》

ハンス少年の話は有名だが、創作物語《そうさくものがたり》で実話ではない。19世紀《せいき》に、オランダ系《けい》アメリカ人のメアリー・メイプス・ドッジが書いた『銀のスケート』という小説に登場するエピソードなのだ。アメリカと日本では特にこの話が広まっており、実話だと誤解《ごかい》している人も多いという。

実際《じっさい》には、堤防《ていぼう》の水もれを人間の腕《うで》でふさぐなんてとても無理な話。小さな穴《あな》でもその向こうに大量の水があるなら、水圧《すいあつ》にたえられないはずだ。万が一、こんなことがあっても絶対《ぜったい》に1人でふさごうなどと考えてはいけない。

ハンス少年の銅像《どうぞう》が今もオランダにあるのは本当だ。創作上《そうさくじょう》の人物だが、ハンス少年の行動がそれだけ多くの人の心を打った証拠《しょうこ》である。

水害の多い日本でも、川の氾濫《はんらん》、海の高潮《たかしお》や津波《つなみ》などから人々《ひとびと》を守るため、昔から多くの堤防《ていぼう》がつくられている。

# 14

# あやしい人かげ

## 危険《きけん》↓逆転《ぎゃくてん》？

パパとママとぼくと妹のナンシーと。家族で登山に来た楽しい一日は、突然《とつぜん》の山火事で一瞬《いっしゅん》にして変わってしまった。

真っ赤に燃《も》える炎《ほのお》は、後ろをふり返るごとに大きくなっていくようだ。ぼくたち4人、生きて山を下りられるんだろうか。ほかの登山客にも出会わないし、今下りている道が安全なのか、迷子《まいご》になってしまわないか——心配でしょうがない！

「下に逃《に》げればだいじょうぶだ。火は上に向かって燃《も》え広がるから。」

パパが「もう歩けない」と泣きべそをかくナンシーをおんぶしてやりながら言う。

ぼくは、ママに話しかけた。

「ねえ、なんで火事が起こったのかな。」

「乾燥《かんそう》した木や葉がこすれて自然発火することがあるらしいけど。でなければ、たき火の不始末か、放火かも……。」

そうか。放火っていう可能性《かのうせい》もあるんだ。

怒《いか》りがわくとともに、もし山中で放火犯《ほうかはん》に出会ったらどうしようっていう新たな恐怖《きょうふ》がわいてきた。いや、悪い想像《そうぞう》はやめよう。

パパが消防隊《しょうぼうたい》に連絡《れんらく》したときには、もうほかの人が通報《つうほう》していて消防隊《しょうぼうたい》は山に向かっているらしかった。きっともう消火活動は始まってるはず。

そのとき。しげみの向こうにヘルメットをかぶった人の頭が見えたんだ。

「ねえ、あれ消防士《しょうぼうし》さんじゃない？」

こう言おうとして、ぼくはハッと言葉をのみこんだ。

防護服《ぼうごふく》を着たその男は下を向いていて――てっきり消火剤《しょうかざい》をまいてるんだろうと思ったんだけど。

男はバーナーで、枯《か》れ草《くさ》を焼いていたんだ。

やばい。見つかったら焼き殺《ころ》される！

ぼくらはその男に見つかることはなく、無事に山を下りることができた。

数日後に、新聞であの男の顔写真を見たときは「やっぱりつかまったんだ！」と思った。

ところが記事をよく読んでみると。

ぼくはとんだ思いちがいをしていたとわかったんだ。


**バーナーを持った男は何者なのだろう。なぜ枯《か》れ草《くさ》を焼いていたのか。**

## 解説《かいせつ》　山火事

主人公は新聞であの男の顔を見たとき、放火犯《ほうかはん》がつかまったのだと思った。しかし、そうではなく、彼《かれ》は消火活動のエピソードを語る消防隊員《しょうぼうたいいん》として登場していたのである。

大規模《だいきぼ》な山火事が起こったときには消火活動を行うと同時に、火が燃《も》え広がりそうな区域《くいき》の枯《か》れ草《くさ》などをあらかじめバーナーで燃《も》やすことがある。これは広い範囲《はんい》が延焼《えんしょう》するのを防《ふせ》ぐためなのだ。

自然発火による山火事が多く発生しやすい乾燥《かんそう》の激《はげ》しい地域《ちいき》では、日ごろから野山の枯《か》れ木《き》などを定期的に焼きはらう予防策《よぼうさく》をとることもある。

# 15

# いつ・どこで・何が

## 危険《きけん》→なぜ？

「あれ、マグニチュードと震度《しんど》ってどうちがうんだっけ？」

ミハルがシャーペンを投げ出して、事典をめくりはじめる。あたしたちは共同で「世界の大地震《だいじしん》」というテーマの自由研究をはじめたところ。世界中の歴史的《れきしてき》な地震《じしん》について比較《ひかく》することにしたんだけど、しょっぱなからわからないことばっかりだ。

「マグニチュードは、地震《じしん》そのもののエネルギーの大きさ。震度《しんど》は、地震《じしん》が起きたときのそれぞれの場所で感じる揺《ゆ》れの強さのことだって。」

あたしが言うと、ミハルはポンと手を打った。

「あ、そうか。震度《しんど》って場所によってちがうもんね。マグニチュードが大きいほど、ひどい地震《じしん》ってわけでもないのか。」

「歴史的《れきしてき》な地震《じしん》」をどういう基準《きじゅん》で選ぶかわかんなくなってきたけど、あたしたちは話しあった結果、「地震《じしん》で亡《な》くなった人の数」を調べて比較《ひかく》することにした。

「だって、大きい地震《じしん》が起こっても、そこに人が住んでなければ被害《ひがい》を受ける人もいないってことだもんね。」

「ってことは、やっぱり大都会ほど被害《ひがい》が大きくなるのかな。住んでる人も多いし。」

「そうとも言えなくない？　海が近いと津波《つなみ》が起こるし。マグニチュードの大きさだけじゃなくて、被害《ひがい》の特徴《とくちょう》は環境《かんきょう》によってちがうってことだよね。」

「ミハル、いいこと言うじゃん。それ、レポートに書こう。」

亡《な》くなった人の数を調べてみると、ここ１００年で一番多かったのが２０１０年のハイチ地震《じしん》でなんと31万6千人。震源地《しんげんち》は首都の近く。それにしてもすごい数の人が犠牲《ぎせい》になったことにびっくりした。

「その次に犠牲者《ぎせいしゃ》が多いのは2004年のスマトラ島沖地震《じしん》で28万人だよ。マグニチュード9・1。ハイチ地震《じしん》は7・0だから、マグニチュードは小さくても震度《しんど》が大きかったのかな。」

調べてみると、「震度《しんど》」の設定《せってい》は国によってちがうことがわかった。日本では10段階《だんかい》。世界では12段階《だんかい》で設定《せってい》してる国が多いけど、その設定《せってい》にもいくつか種類があるんだね。

あたしたちの興味《きょうみ》は、がぜん「地震《じしん》のときに人が亡《な》くなる原因《げんいん》」に向いていった。だって地震《じしん》大国に住んでて、将来巨大地震《しょうらいきょだいじしん》は起こるっていわれてるんだもの。ここは、みんな知りたいことだよね！

2万人近くの人が亡《な》くなった2011年の東日本大震災《ひがしにほんだいしんさい》はマグニチュード9・0。このとき、あたしたちは赤ちゃんだったけど、両親からよく話には聞いている。

「東日本大震災《ひがしにほんだいしんさい》で亡《な》くなった人の9割《わり》は津波《つなみ》のせいなんだよね。」

「お母さんから1995年の阪神《はんしん》・淡路大震災《あわじだいしんさい》のことを聞いたけど、このときは家の倒壊《とうかい》が多かったんだって。あんまり地震《じしん》がない土地だったから、地震《じしん》の対策《たいさく》がおくれてたらしいよ。」

意外にも、日本の地震《じしん》で一番犠牲者《ぎせいしゃ》が多かったのは大正時代の関東大震災《かんとうだいしんさい》だった。なんと10万5千人以上もの人が亡《な》くなっている。マグニチュードは7・9。震度《しんど》は今の基準《きじゅん》で6強から7……。

あたしたちはノートに、地震《じしん》の起こった年と日づけ、犠牲者《ぎせいしゃ》の数、マグニチュード、震源地《しんげんち》、国内のものについては最大震度《しんど》を書きつけていた。被害《ひがい》の主な内容《ないよう》や特徴《とくちょう》を書きこむ欄《らん》も作ってある。

ふと、ミハルがシャーペンを置いて言った。

「ねえ、日づけだけじゃなくて、発生した時間も書いたほうがいいんじゃない？」

「時間？　その情報《じょうほう》いるかなぁ。」

それを書くとなると、表を書き直さなくちゃならないなぁ。

ミハルはちょっと口をとがらせると、ニコッとして開いていた本をとじた。

「じゃあ、一つ問題出すね。関東大震災《かんとうだいしんさい》が起こったのは、大正12年9月1日の午前

11時58分。この時刻《じこく》は、関東大震災《かんとうだいしんさい》の死者が多かったことに深い関係があるんだよ。なんでだと思う?」

答えを知ったあたしは、「発生時刻《じこく》を記録する」というミハルのアイディアに賛成《さんせい》した。

地震《じしん》の起こった時間って、実はかなり重要な情報《じょうほう》なんだね。こういう知識《ちしき》が、いつか身を助けるのかもしれない。そう思いながら、あたしはさっきよりきれいに表を書き直したんだ。


**関東大震災《かんとうだいしんさい》が起こったのは大正12年9月1日の午前11時58分。この時間に大地震《だいじしん》が起こった場合、どんな被害《ひがい》が考えられるだろうか。**

## 解説《かいせつ》　関東大震災《かんとうだいしんさい》

関東大震災《かんとうだいしんさい》では、地震《じしん》の発生した午前11時58分に昼食の準備《じゅんび》のため台所で火を使っている人が多かった。そのために火災《かさい》が多く発生したのである。約10万5千人といわれる死者のうち、9割《わり》近くが火災《かさい》で命を落としたという。

阪神《はんしん》・淡路大震災《あわじだいしんさい》が起こったのは早朝5時46分。高速道路が倒壊《とうかい》したが、道路が混《こ》む時間帯だったらさらに被害《ひがい》が大きかっただろうといわれている。

いつどこで大地震《だいじしん》が起きるかわからない以上、いざというときに適切《てきせつ》な行動がとれるようにしておきたいもの。日ごろから「今、ここで大地震《だいじしん》があったら?」と考えるトレーニングを積んでおこう。過去《かこ》のさまざまなケースを知ることは大きなヒントになる。海の近くであれば津波《つなみ》が脅威《きょうい》となるし、山では崖崩《がけくず》れのおそれがある。ぼう大な犠牲者《ぎせいしゃ》が出たハイチ地震《じしん》では、建物の倒壊《とうかい》による死者が多かった。急《きゅう》激《げき》に都市部の人口が増《ふ》えて建設《けんせつ》ラッシュが続いたものの、長い間地震《じしん》が起こっていないために地震《じしん》への対策《たいさく》が不十分だったと指摘《してき》されている。

16

# 雪の夜の明暗

危険《きけん》→なぜ？


見わたすかぎり白、白。真っ白な世界。

アイリーンは、窓《まど》の外の吹雪《ふぶき》をじっとながめた。積もりはじめたころははしゃいでいたけれど、今や降《ふ》りやむ気配もない雪にうんざりしていた。

「たいへんなことになっちゃったね。」

運転席のケイティはアイリーンの言葉にうなずくと、スマートフォンを取り出した。この車に乗っているのはアイリーン、ケイティ、ノーラの女子3人。いっしょに出発したもう1台の車にはマット、トビー、ジョシュアの男子3人組が乗っている。大学の親しい仲間である6人は、泊《と》まりがけで山荘《さんそう》に遊びに行くところ。その途中《とちゅう》で予想以上の大雪にみまわれてしまったのだ。

ゆっくり車を走らせてきたが、雪が深くなりすぎて進むのがむずかしくなった。相談した結果、これ以上進むのは危険《きけん》だという結論《けつろん》に達したのだ。

「そっかぁ。しまったなぁ……まあ、なんとかするよ。うん。朝になるまでここで休むことにしよう。じゃあ、おやすみ。」

ケイティは、男子組のマットとの通話を切った。アイリーンは、ケイティの横顔に不安そうな表情《ひょうじょう》が浮《う》かんでいるのを見逃《みのが》さなかった。

「ケイティ、今『しまったなぁ』って言ったでしょ。なんのこと?」

「ガソリンだよ。途中《とちゅう》でスタンドによってガソリンをいっぱいにしとけばよかった。」

ケイティはため息をついた。

「車のエアコンを使うには、エンジンをかけっぱなしにしなきゃいけないでしょ。でも、エアコンをつけてたら、出発するときガソリンが足りなくなっちゃいそうなんだ。」

「マットたちの車はどうなの？」

ノーラは後部座席《ざせき》からのびあがって、前に停《と》まっている男子たちの車の方を見ようとした。視界《しかい》は真っ白で、車はまるで見えなかったけれど。

「マットたちは、ガソリンは十分あるからエアコン使えるって。」

「ずるい！　あたしたちも向こうの車に乗せてもらえないの？」

ノーラは泣き声をあげた。

「無理だよ。あっちだってギュウギュウだもん。３人ともデカいし。」

アイリーンは考えこんだ。外の気温はマイナス10度くらい。いくら窓《まど》をしめていても……エアコンを切って2～3時間たったら車内はそうとう寒くなるだろう。

「まさか凍死《とうし》したりしないよね？」

ノーラがふるえ声で言う。アイリーンは彼女《かのじょ》を……そして、自分を元気づけるように明るい声を出した。

「毛布《もうふ》やひざかけもあるし、カイロもいっぱいあるから。ありったけの服を着こんでくっついて寝《ね》ればだいじょうぶだよ。」

3人は、持ってきた洋服を重ねて着こんだ。それから服の間にカイロを入れ、さらに毛布《もうふ》やひざかけで体をしっかりと包みこむ。後部座席《ざせき》で3人、体をしっかりくっつけあった。午前3時。冷えこみはまだきびしくなるだろう。

(もし、眠《ねむ》りについて……このまま目を覚ますことがなかったらどうしよう? そんなことないよね?)

アイリーンが目を覚ますと、まだ1時間ほどしかたっていなかった。

寒くてしょうがなかったが、カイロを入れているせいもあってか、まだ耐《た》えられそうだ。だが……アイリーンはこまったことに気づいた。トイレに行きたくなったのだ。

(やだけど、外に出るしかないよね。)

アイリーンは雪にうもれた車のドアを苦労して開けた。

深く積もった雪をかき分け、雪にかくれて用を足したアイリーンは、ふと男子の車をのぞいてみようと思った。マットの赤い車も、雪におおわれて真っ白なかたまりにしか見えない。窓《まど》の雪を払《はら》い落としてのぞくと、男子たちはぐっすりと眠《ねむ》っている。

（ちょっとだけ入れてもらえないかな。）

アイリーンは窓《まど》をコツコツたたいた。しかし、窓《まど》に頭をもたれているトビーさえ、目を覚ます気配がない。

（なんだか様子がおかしくない⁉）

まさか、エアコンをかけて安泰《あんたい》なはずの男子組が命の危険《きけん》にさらされるとは、だれも想像《そうぞう》できなかったのである。


**男子3人の車には十分なガソリンがあったため、エアコンをかけて休むことができ、車内の気温はあたたかく保《たも》たれている。彼《かれ》らの身に何が起こったのだろうか。**

## 解説《かいせつ》　一酸化炭素中毒《いっさんかたんそちゅうどく》

男子の車はエアコンを使用するため、エンジンをかけっぱなしの状態《じょうたい》だった。しかし、車のマフラー（排気《はいき》ガスを外に出す部分）が雪でうもれてしまったため、車の下にたまった排気《はいき》ガスがエアコンの外気導入口《がいきどうにゅうこう》などを通じて車内に入ってきていた。排気《はいき》ガスには一酸化炭素《いっさんかたんそ》が多くふくまれているため、3人は一酸化炭素中毒《いっさんかたんそちゅうどく》を起こしていたのである。一酸化炭素中毒《いっさんかたんそちゅうどく》の初期症状《しょうじょう》は頭痛《ずつう》やめまいなど。しばらくすると気を失い、死に至《いた》る危険《きけん》もある。

アイリーンはケイティたちを起こし、男子の車の窓《まど》のガラスを割《わ》った。通報《つうほう》により、早く処置《しょち》を受けることができたために3人とも奇跡的《きせきてき》に助かったのである。

このような場合、一酸化炭素中毒《いっさんかたんそちゅうどく》にならないためには定期的にマフラーの周りを除雪《じょせつ》することが必要だった。たとえ窓《まど》を開けていたとしても換気《かんき》は十分ではない。大雪が予想される場合のドライブでは、スコップを積んでおくことも重要である。

# 17

# 雨やどり

## 危《き》険《けん》↓なぜ？

地下鉄を降《お》りて階段《かいだん》を上ると、地上出口の付近にはたくさんの人がたまっていた。予想外に雨が強くなったせいで、塾《じゅく》の授業《じゅぎょう》が途中《とちゅう》で中断《ちゅうだん》になり、あたしたちは大喜《おおよろこ》びで帰ってきたところ。弟のミツヤは人垣《ひとがき》をすりぬけて一番上まで上りつくと、はしゃいだ声を出している。

「お姉ちゃん、雨、さっきよりすごいよ。ポンチョ着てきてよかった。」

ミツヤのそばにたどりつくと……うわぁ、ものすごいどしゃぶり。目の前が真っ白に見えるくらい！

急に強い風が吹《ふ》いた。ミツヤは小学3年の中でも小柄《こがら》な方で……体がグラッとゆらいだから、あたしはあわてて支《ささ》えた。

「危《あぶ》ないよ。ちょっと小やみになるまで下の方で待とう。」

風も雨もさらに激《はげ》しくなってきた。階段《かいだん》に立って外をうかがってる人たちも一段《だん》、また一段《いちだん》と下に降《お》りはじめてる。

「ねえ、まだ帰らないの？　おなかすいたぁ。」

ミツヤはじっとしてるのが苦手なんだよね。

ふと、スマートフォンに見入っていた女子高校生の2人組が大きな声を出した。

「この近くの川があふれそうになってるらしいよ。ヤバくない？」

「じゃあさ、地下街のカフェでお茶していかない？」

あ、その手があった！　前から地下街のカフェに入ってみたかったんだけど、ママに「中学生になるまではダメ」って言われてるんだよね。こんなときならいいんじゃない？

そのとき、ママから電話がかかってきた。状況《じょうきょう》を説明して……最後におそるおそる「歩くの危《あぶ》なそうだから、しばらく地下街でブラブラしてる」って言うと。ママはあたしのたくらみを見透《みす》かしたように言ったんだ。

「ちょっと、カフェなんかに入ったらダメよ。これからむかえに行くから、出口のところで待ってなさい！」

「え～？　出口のとこは風も強くて危《あぶ》ないし、ずぶぬれになっちゃうよ。」

抵抗《ていこう》してみたけど、ママはがんとしてゆずらない。

「急いで行くから必ず一番上にいるのよ。車には気をつけて！」


**ママはなぜ、暴風雨《ぼうふうう》にさらされる場所で待っているように指示《しじ》したのだろうか。**

## 解説《かいせつ》　暴風雨《ぼうふうう》

ママが、主人公に地下街のカフェに行かないようにクギをさしたのは、この状況《じょうきょう》では地下にいる方が危《あぶ》ないと考えたためである。「屋内《おくない》の施設《しせつ》」ではあっても、地下には雨水が流れこむ。しかも近くの川では氾濫《はんらん》の可能性《かのうせい》が生じている。もし、川の水があふれたら、大量の水が地下に流れこむ危険《きけん》があるのだ。実際《じっさい》に、わが国でもビルの地下街に流れこんだ水におぼれて亡《な》くなったケースがある。屋内施設《おくないしせつ》にとどまるならできるだけ上の階で待機すること。

地下鉄の地上出口にいる場合は、風にあおられて転倒《てんとう》したり、大きな看板《かんばん》が飛んできたりするのに注意。また、スリップした自動車による事故《じこ》が起こりやすいことも頭に入れておこう。

日本は台風が多い国。台風以外でも、記録的な豪雨《ごうう》が大規模《だいきぼ》な被害《ひがい》をもたらすことが少なくない。たかが雨と見くびらずに警戒《けいかい》すること。

18

# 究極の選択《せんたく》

## 危《き》険《けん》↓なぜ？

ママの黄色いポンチョは目立つから、遠くからでもすぐにわかるんだ。

「ママ来たよ！」ってお姉ちゃんのポンチョをひっぱったら、「ミツヤ、いちいち大声出さないで。はずかしいから」っておこられちゃった。

ずーっと待ってて、つかれちゃったよ。やっと帰れる！

さっそくかさをさそうとしたけど……あれ、風が強くて開かない⁉

そしたら、ママが言ったんだ。

「風が強いから、かさはささないで。風にあおられて危《あぶ》ないからね。」

ママ、なんでかさをさしてないんだろうと思ったら、そういうことだったのかぁ。

なら、かさを持ってこなきゃいいのにね。

「2人ともゆっくり、気をつけて歩くのよ。」

「わかった！」

茶色い雨水がたまって、深いところだとふくらはぎくらいまでつかっちゃう。ここまですごい雨って初めて！

向こうに見える車は超《ちょう》ノロノロ運転だ。うわ〜、タイヤが半分くらい水につかっちゃってる！　あれじゃスピード出せないよね。

お姉ちゃんに見せようと思って、「ねえ……」って話しかけたら、すぐに「よそ見しないで。あと、もっと道の真ん中に寄《よ》って」って。

「歩行者は歩道を歩くんだよ」って言い返したら。

「この道は、はしにみぞがあるから危《あぶ》ないんだってば」だって。

そうか。たしかに水があふれてて、どこがみぞだかわかんないや。

この道はふだんから車があんまり通らないし、一方通行だから後ろからは車は来ないもんね。

それで、先頭に立って道の真ん中を歩きはじめたら、今度はママの声が飛んできた。

「ミツヤ、真ん中を歩かないで。2人とも危《あぶ》ないからママの後ろをついてきて。」

「でも、お姉ちゃんはもっと真ん中に寄《よ》れって言ったよ」って言おうと思ったけど、やめた。言いにくい雰囲気《ふんいき》だったからさ。

ママはイライラしてるのか、かさの先で水をバシャバシャたたきながら歩いてるんだもの。それも、道の真ん中をさ……。ぼくには真ん中を歩くなって言ったばっかなのに。


**いったいだれの考えが正しいのだろうか。**

## 解説《かいせつ》　暴風雨《ぼうふうう》

総合的《そうごうてき》に正しいのはママの判断《はんだん》だ。お姉ちゃんが言うように道路が冠水《かんすい》しているときはみぞ（側溝《そっこう》）が見えづらく、落ちる危険《きけん》があるので道のはしを歩かない方がいい。みぞのフタは流されている可能性《かのうせい》がある。

ママが心配しているのは、大雨でマンホールのフタがはずれることだ。急激《きゅうげき》に雨水が流れこむために下水道があふれてマンホールのフタが持ち上がり、穴《あな》に転落する事故《じこ》は実際《じっさい》に起こりがちだ。

にごった水で足元が見えにくいときは、棒《ぼう》などでつついて確《たし》かめながら歩くのがいい。ママがかさで前方をたたいていたのはそういうわけなのだ。

風が強いときは、かさをさすとかえって危《あぶ》ない。強風にあおられて転んだり、かさがこわれることがある。こわれたかさの骨《ほね》によるケガにも要注意だ。

# 19

# 脱《だっ》出《しゅっ》、危《き》機《き》一《いっ》髪《ぱつ》！

## 危《き》機《き》→対《たい》処《しょ》？

ついさっきまでは、豪《ごう》雨で冠《かん》水《すい》した道を「低速で運転してる」つもりだった。だけど、今はそうじゃないのがわかる。この車は、しずみかけてる。あたしは、コントロールのきかないハンドルに手をかけて大きく息を吐《は》いた。川が氾《はん》濫《らん》したのかもしれない。もっと早く決《けつ》断《だん》しなきゃいけなかった。車を捨《す》てて避《ひ》難《なん》するのを。

「ねえ、どうする……？」

助手席のカナエは半泣きだ。あたしだって泣きたいけど、冷静にならなきゃ。

「えーと……このままだと車はしずむと思う。車に水も入ってきてるし……。」

車内の足元には水がたまりはじめてる。たぶん、エンジンルームとかから逆《ぎゃく》流《りゅう》し

カナエの目から大つぶの涙《なみだ》がボロボロこぼれ落ちる。

「カナエ、泣かないで、落ち着いて。今できることをやろう。あたしたちは、急いでこの車から脱出《だっしゅつ》する。１秒でも早く。泳いで生きのびるんだよ、いいね。」

カナエはコクリとうなずいて、窓《まど》の外を見る。

「それしかないよね。」

カナエはドアを開けようとしたが、開かない。水圧《すいあつ》に押《お》されてるんだ。

「カナエ、ちょっとずつ窓《まど》を開けるよ。」

ところが……窓《まど》も開かない⁉

そうか、ドアが開かなかったのは水圧《すいあつ》以前の問題だったんだ。

「バッテリーがショートして電気系《でんきけい》がきかないんだ！　窓《まど》を割《わ》らなきゃ！」

カナエが窓《まど》ガラスを、かさの先でドンドン突《つ》きはじめたがビクともしない。

「ハンマーとかないの？」

「持ってない。工具はトランクの中だし。何かかたいもの、ない？」

あたしたちは、コンビニ袋《ぶくろ》に小銭《こぜに》とスマホを入れ、ブンブン振《ふ》りまわしてガラスにぶつけた。なんとかなりそうな気がしたけど、割《わ》れない。車のキーもダメ。

あたしは、運転席のヘッドレストを引き抜《ぬ》いた。頭を支《ささ》えるヘッドレストは、座《ざ》席《せき》の背《せ》もたれに2本の金属《きんぞく》の棒《ぼう》でセットされている。

「その棒《ぼう》でガラスを割《わ》るつもり？　無理だよ……。」

カナエが弱々《よわよわ》しい声をあげた。

あたしは棒《ぼう》の部分をにぎりしめた。やるしかない。確《たし》かに、この棒《ぼう》でガラスに穴《あな》を開けることはできないかもしれないけど。

脱出《だっしゅつ》に成功したあたしたちは、ギリギリで命をつなぐことができたのだ。


**主人公は、ヘッドレストにくっついている金属《きんぞく》の棒《ぼう》を使って窓《まど》ガラスを開けた。ガラスを突《つ》く以外に、どんな方法が考えられるだろうか。**

## 解説《かいせつ》　車からの脱出《だっしゅつ》

座席《ざせき》に設置《せっち》されたヘッドレストは頭を支《ささ》えるクッションで、事故《じこ》の際《さい》にむちうちになるのを防止《ぼうし》するもの。棒《ぼう》をぬけば、座席《ざせき》の背《せ》もたれからかんたんに取りはずせるようになっている。ただし、この棒《ぼう》で突《つ》くだけではがんじょうな車の窓《まど》ガラスは割《わ》れない。窓《まど》ガラスがはまっているすきまに棒《ぼう》の先をさしこみ、テコの要領《ようりょう》で押《お》し上げる。こうすれば女性《じょせい》の力でもガラスが割《わ》れるのだ。

もし、車が水に流されたら、早めに窓《まど》を開けておくこと。自動車のガラスはとてもじょうぶにできている。緊急事態《きんきゅうじたい》に備《そな》えてホームセンターなどで売っている専用《せんよう》のハンマーを常備《じょうび》しておくといい。

洪水《こうずい》以外にも、夜中に車が川に転落する事故《じこ》も多発している。車がしずみはじめたら、一刻《いっこく》を争う。電話で助けを呼《よ》ぶよりも、とにかく脱出《だっしゅつ》することが生存率《せいぞんりつ》を上げるための最優先事項《さいゆうせんじこう》と考えられている。

# 20

# 海岸の松の木

## 生還《せいかん》→なぜ？

ときは明治29（1896）年。

岩手県の、とある海ぞいの村で。

「ひどい……ひどすぎる。」

リョウキチはため息をつくと、どろでよごれた手で顔をおおった。一度かたく目をつぶり、やりきれないというように頭を左右にふる。

今日一日で、どれだけの遺体《いたい》を運んだだろう。

浜《はま》は打ち上げられた船や、家屋の残がい、おびただしい木材などでうめつくされていた。昨晩《さくばん》、突然《とつぜん》にこの地をおそった津波《つなみ》が多くの命を一瞬《いっしゅん》にしてうばい、人々《ひとびと》の生活をめちゃくちゃに破壊《はかい》したのである。

あの地獄《じごく》のような光景が悪い夢《ゆめ》であってくれたら――リョウキチはそんな思いで、ふたたび目を開けたけれど。

(やっぱり夢《ゆめ》じゃなかった。)

リョウキチのそばに、同じ青年会の仲間であるソウジロウが歩みよってきた。

「残念ながらこの地域《ちいき》の人たちは、ほぼ全員亡《な》くなってしまったらしいな。」

リョウキチとソウジロウは、少しはなれた村に住んでいる。2人は青年会の仲間の呼《よ》びかけで、救出《きゅうしゅつ》作業を手伝いに来たのだ。2人とも、この村に親せきや友人がいたけれど、知っている顔に出会うことはなかった。死んでしまったのか、海に流されてしまったのか、逃《に》げのびて無事でいるのかはわからない。

「ああ……。それにしても、なんでこんなことになっちまったんだろうな。みんな、もっと早く津波《つなみ》に気がつけなかったのか?」

リョウキチは、このあたりが昔からよく津波《つなみ》におそわれてきたことを、祖父母《そふぼ》や親せきたちから伝え聞いてきた。

「でもな、きのうの地震《じしん》は大きくなかっただろう？」

「そうだ。それがおかしいんだよな。」

地震《じしん》があったとき、リョウキチは家にいた。揺《ゆ》れた時間は長かったけれど、ものが倒《たお》れることもなく、たいした地震《じしん》ではなかった。

「それに、きのうは日清戦争から帰ってきた兵隊さんたちの歓迎《かんげい》大会があったからな。外にいれば家の中より揺《ゆ》れを感じにくい。花火を上げて大さわぎしてたら、なおさらだ。」

ソウジロウの言葉に、リョウキチはうなずいた。

津波《つなみ》から逃《に》げおおせた人によると――。

地震《じしん》には気づいたけれど、弱い揺《ゆ》れだったからまさか津波《つなみ》が起こるとは思わなかったそうだ。そして、地震《じしん》があってから約30分後、不意に「ドドーン！」という大音量とともに高波が押《お》しよせてきて、夢中《むちゅう》で逃《に》げたのだという。

リョウキチはなんとも言えないつらい気持ちになった。

（こんなことがまた起こるのか⁉　あっという間に人や、あんなに大きな船や家ま

でなぎ倒《たお》す津波《つなみ》っていうのは何なんだ⁉)

リョウキチは次の瞬間《しゅんかん》、口に手を当ててさけんでいた。

「おーい！　生きてる人、いませんかー！　おーい！」

ソウジロウも「おーい、おーい！」と大声を上げる。

2人の「1人でも多く助けたい」という気持ちは周囲《しゅうい》にも伝わった。救助活動《きゅうじょかつどう》をする人たちの疲《つか》れた顔に、活気がもどってくる。

すると、そのとき。リョウキチの頭上から激《はげ》しい泣き声が聞こえてきたのである。

「見ろ！　松の木の上に赤ちゃんがいる！　生きてるぞ！」

「本当だ。すぐに助けに行くぞ！」

赤ちゃんは、松の木のかなり高い枝《えだ》に引っかかっている。

「これまでよく落ちなかったもんだ。」

だれかがはしごを持ってかけつけ――リョウキチは松の木の上から、無事に赤ちゃんを抱《だ》いて下りることができたのだ。

リョウキチは、今は泣きやんでむじゃきに笑っている赤ちゃんの顔を見つめた。

「きっとこの子の親は津波《つなみ》が来るのを見て逃《に》げられないと思って……赤ちゃんの命だけでも助けようと、あそこまで登ったんだろうな。」

リョウキチが涙《なみだ》ぐんでつぶやくと。人がきの中から、ひょいと顔を見せたおばあさんが言ったのだ。

「そりゃ、ちがうね。本物の津波《つなみ》ってもんを想像《そうぞう》してみたらわかると思うけど。」


**おばあさんの言葉は何を意味しているのだろうか。**

## 解説《かいせつ》　明治《めいじ》三陸《さんりく》大津波《おおつなみ》

この話は、明治29（1896）年6月15日に起こった明治三陸大津波《めいじさんりくおおつなみ》を参考にしたもの。この津波《つなみ》は、最高で海抜《かいばつ》約38メートルまで到達《とうたつ》。死者・行方《ゆくえ》不明者は約2万2千人といわれる。救出《きゅうしゅつ》された赤ちゃんのエピソードは実話にもとづいているが、赤ちゃんは津波《つなみ》に打ち上げられ、高い松の枝《えだ》にぐうぜん引っかかったようだ。

津波《つなみ》は、震度《しんど》の大きい地震《じしん》のときにだけ起こると思っていたら大まちがい。そうした誤解《ごかい》も、この明治三陸大津波《めいじさんりくおおつなみ》の犠牲者《ぎせいしゃ》が多かった理由のひとつだ。判断《はんだん》する上で役立つのは、「震度《しんど》（生活の場での揺《ゆ》れの強さ）」ではなく「マグニチュード（地震《じしん》そのものの大きさ）」だ。この地震《じしん》はマグニチュード8以上だったが、震度《しんど》は2〜3程度《ていど》（推定《すいてい》）。人々《ひとびと》はたいしたことのない地震《じしん》と思いこみ、津波《つなみ》の危険《きけん》を想定できなかったのだ。地震《じしん》が起きた直後、ニュースでマグニチュードの数値《すうち》を知る前に判断《はんだん》できるポイントがある。それは、揺《ゆ》れの時間の長さだ。たとえ小さな揺《ゆ》れでも1分以上続いたら津波《つなみ》は来ると考えよう。避難指示《ひなんしじ》を待たずに、迷《まよ》わず高台へ！

# 21 新入局員は心配性《しんぱいしょう》

## 危険《きけん》↓なぜ？

1960（昭和35）年5月、岩手県。

郵便局《ゆうびんきょく》の局長であるツボイさんは、新入局員のヒメカワさんがみょうにそわそわした様子なのに気づいて声をかけた。

「ヒメカワさん、落ち着かないみたいだね。どうかしたの？」

ヒメカワさんはえり元のリボンをいじりながら、おずおずと口を開いた。

「さっき窓口《まどぐち》にいらしたお客様が『海の様子がおかしい』とおっしゃっていて――ちょっと気になったものですから。」

ヒメカワさんによれば、お客さんは「海がひどく荒《あ》れていて、ふつうではない。

津波《つなみ》でも来るんじゃないかと漁師《りょうし》たちがうわさしている」と言っていたという。

「津波《つなみ》？　そりゃ、この地域《ちいき》は歴史的《れきしてき》に何度も津波《つなみ》におそわれてるから心配するのはわかるよ。オレが中学生のとき、夜中の2時半ごろに震度《しんど》5の地震《じしん》があってね。ばあちゃんに『今すぐ逃《に》げるよ！』ってたたき起こされたっけな。」

「それは1933（昭和8）年の昭和三陸大津波《しょうわさんりくおおつなみ》ですね。」

ヒメカワさんがスラスラと答えたので、局長は感心した。

「よく知ってるね。うちの親やじいちゃん、ばあちゃんはその前の1896（明治29）年の明治三陸大津波《めいじさんりくおおつなみ》を知ってる世代だからな。大きい地震《じしん》があったら早く逃《に》げるっていう態度《たいど》が身についていた。だから、あのときの津波《つなみ》はわりと被害《ひがい》が少なかったんだ。でも、今日は地震《じしん》は起こってないだろう？」

「ええ。ですけど、明治三陸大津波《めいじさんりくおおつなみ》のときは地震《じしん》の揺《ゆ》れが小さくて警戒《けいかい》しなかったせいで、逃《に》げおくれた人が多かったそうじゃないですか。」

局長はまゆをひそめて、ヒメカワさんのほうに少し顔をよせた。

「うん、だからさ……もう一回言うけど、今日は小さい地震《じしん》も起こってないよね。」

「わたし、気象庁《きしょうちょう》に問い合わせたんです。そしたら、大きい地震《じしん》はあったって……。」

聞き耳を立てていた周囲《しゅうい》の同僚《どうりょう》たちが、いっせいにざわめいた。

「ヒメカワさん、それ本当？」「震源地《しんげんち》はどこなの？」

「チリです。南米の。」

ヒメカワさんが答えると、局長は苦笑した。

「ヒメカワさん、チリは地球の反対側だよ。」

しかし、その翌日《よくじつ》。局長はじめ同僚《どうりょう》たちはみんなヒメカワさんを賞賛《しょうさん》することになるのである。


**結局、津波《つなみ》は起こったのだろうか。チリは日本からみて地球の反対側。距離《きょり》にして約1万7千キロはなれている。**

## 解説《かいせつ》　遠地津波《えんちつなみ》

この話は、1960（昭和35）年のチリ地震津波《じしんつなみ》を参考にしている。チリでマグニチュード9・5の巨大地震《きょだいじしん》が起こったのは、5月23日の午前4時すぎ（日本時間）のこと。このために生じた大津波《おおつなみ》は平均《へいきん》時速770キロものスピードで太平洋を横《おう》断《だん》し、22時間半後（翌《よく》24日の午前3時ごろ）に日本に到達《とうたつ》。北海道や三陸沿岸《さんりくえんがん》は最大6メートルの高さの津波《つなみ》におそわれ、142人もの人が犠牲《ぎせい》になった。

日本の気象庁《きしょうちょう》はチリの地震《じしん》の情報《じょうほう》はつかんでいたものの、当時の科学技術《かがくぎじゅつ》では日本に津波《つなみ》が襲来《しゅうらい》することを予測《よそく》できず、気象庁《きしょうちょう》が津波注意報《つなみちゅういほう》を出したのは第1波の津波《つなみ》が到達《とうたつ》したあとだった。ちなみにヒメカワさんのモデルは、当時22歳《さい》の実在《じつざい》する女性《じょせい》だ。海の異常《いじょう》を見聞きしたことを過去《かこ》の津波《つなみ》と結びつけ、自主的な避難《ひなん》を呼《よ》びかけて多くの命を救《すく》ったのである。このように600キロ以上の遠方から届《とど》く津《つ》波《なみ》を「遠地津波《えんちつなみ》」と呼《よ》ぶ。現在《げんざい》では、海外で地震《じしん》が発生した際《さい》、日本に津波《つなみ》が到来《とうらい》する数時間前までに津波注意報《つなみちゅういほう》を出すことが可能《かのう》となっている。

## 22

# 約束

## 危険《きけん》→対処《たいしょ》？

「今日、お兄ちゃんの部活が休みになってホントによかった。」

せまいダイニングテーブルの下で、弟のジンはしっかりオレにしがみついていた。激《はげ》しい揺《ゆ》れは、だいぶ長く続いている。

「だいじょうぶ。もうすぐおさまるよ。」

オレはテーブルの足を両手でおさえながら、ジンを安心させようと声をかける。

オレが思いがけず早く学校から帰ってきたから、1人でるすばんをしていたジンは喜《よろこ》んでさ。「今日のおやつプリンだよ。いっしょに食べよう」と、ジンが冷蔵庫《れいぞうこ》の方に進みかけたとき。ドンと下からつきあげるような衝撃《しょうげき》があって、部屋じゅうが大きく揺《ゆ》れた。で、オレたちはすぐさまテーブルの下にすべりこんだんだ。

震度《しんど》5くらい？　いや、震度《しんど》6くらいかも？　マンションごとこわれたりしないよな……。

このマンションは4階建てで、ここは2階。オレは悪い想像《そうぞう》をふりはらうようにギュッと目をつぶった。

家の中のいろんなものが倒《たお》れ、ぶつかり、落下する。おそろしい物音を聞きながら、オレはこの揺《ゆ》れがおさまったときの行動を考えていた。


日本は、昔から多くの津波《つなみ》におそわれてきた。昔の人々《ひとびと》はその体験を記録し、親から子へと語り伝えた。津波《つなみ》の前ぶれ、生きのびた人の経験談《けいけんだん》など——「言い伝え」だったものは、科学的に検証《けんしょう》された情報《じょうほう》となって後の世代に残される。

ここは海から近く、歴史上《れきしじょう》、大津波《おおつなみ》が一定の間隔《かんかく》で発生している地域《ちいき》だ。

だから、オレたちは幼稚園《ようちえん》のころから地震《じしん》や津波《つなみ》の対策《たいさく》について教わり、避難訓《ひなんくん》練《れん》を重ねてきていた。

ついに、本番が来たんだ――。


揺《ゆ》れがおさまると、割《わ》れたものを踏《ふ》まないように注意しながらテーブルの下からはいだした。めちゃくちゃになった部屋を見ると、心細さで涙《なみだ》が出そうになる。

泣いてる場合じゃない。急がなくちゃ。

「ジン、早くくつをはいて！」

オレは、スニーカーを取ってジンにわたしてやった。自分もスニーカーをはいて立ち上がろうとすると、またグラッときた。

「余震《よしん》だよ。たいしたことない。」

こう言ったものの、それでも足は硬直《こうちょく》したように止まってしまう。一刻《いっこく》も早く、逃《に》げなきゃいけないのに。ぼやぼやしてられないのに。

「地震《じしん》が起こってから30分で津波《つなみ》が来る」といわれるけど、何分たったんだ？　もちろん、もっと早く来るかもしれない！

「お兄ちゃん、早く避難場所《ひなんばしょ》に行こう！」

ジンにせかされてハッとした。しっかりしなくちゃ。

家にいるときに地震《じしん》が起こったらここ、と避難《ひなん》する場所は決まっている。走って5分くらいの、高台にある公民館だ。

しかし、ドアから外へ出て――オレは階段《かいだん》を降《お》りかけて立ち止まった。階段《かいだん》の下の方に水がたまっているのが見えたからだ。2段《だん》か3段《だん》くらい？　50センチくらいたまってるかも……。


オレはふり返って言った。

「ジン。公民館に行くのはやめだ。このマンションの一番上に行く。」

ジンは泣きそうな顔になった。

「なんで⁉　避難訓練《ひなんくんれん》もやったし、町内会の人も言ってたし、パパとママとも約束したじゃん。地震《じしん》があったらすぐに公民館へ行くって！　ねえ、パパとママに電話して確《たし》かめてよ！」

「そんな時間あるか！　いいからオレの言うことをきけ！」

オレはジンの肩《かた》にうでを回すと、むりやりに階段《かいだん》を上がっていった。


**主人公は、決められた避難所《ひなんじょ》へ行くという両親との約束を破《やぶ》ろうとしている。この判断《はんだん》は正しいのだろうか。**

## 解説《かいせつ》　垂直避難《すいちょくひなん》

この話は、実際《じっさい》にあったケースをもとにしている。主人公はマンションの地面に、50センチほど水がたまっているのを見たのだ。これでは速く歩けないし、避《ひ》難《なん》場所に着くまでに津波《つなみ》にのまれる危険性《きけんせい》が高い。そこで今の状況《じょうきょう》では「垂直避《すいちょくひ》難《なん》」がベストだと考えたのだ。この判断《はんだん》のおかげで、2人は無事に助かった。ただし「○階なら安全」とは言い切れないので、ケースによって自分でベストは何かを考えることが必要だ。津波避難《つなみひなん》の鉄則《てっそく》は「より早く、より高い場所へ」。シンプルなルールだが、状況《じょうきょう》に応《おう》じて判断《はんだん》しなければならないこともある。「ここなら安全」と教えられている避難場所《ひなんばしょ》に向かうのは基本《きほん》だが、時間がなければかえって危《き》険《けん》に身をさらすことになる。その場合は、もっと近くて「より高い場所」を検討《けんとう》すべき。判断力《はんだんりょく》を養うため、日ごろから生活行動範囲《せいかつこうどうはんい》をよく観察しておこう。また、「昔の津波《つなみ》では○メートル以上は来なかった」「津波《つなみ》がこの山を越《こ》えることはない」という昔話を信じてはいけない。地震《じしん》や津波《つなみ》の性質《せいしつ》は1回ごとにちがうのだ。

## 23

# スズメが丘町《おかまち》に雨は降《ふ》る

### 危険《きけん》→なぜ？

雨足が強くなってきた。

「タクシーに乗ればよかったかなぁ？」

ぶつぶつ言ってるユーリに、間髪《かんはつ》入れずサユキが「節約、節約！」と返す。

「これもいい思い出になるんじゃない？」と、やさしく言うのはマナ。

「でも、まだかなぁ。道に迷《まよ》ってないよね？」

と言うリエに、あたしは「川ぞいの一本道なんだから迷《まよ》いっこないって」と明るく声をかけた。

あたしたち5人は、大学のとなりの県にあるスズメが丘町《おかまち》の合宿施設《がっしゅくしせつ》に向かっているところ。

合宿初日からこんな大雨なんて残念。でも、運動部なら困《こま》るだろうけど――なにしろあたしたちは人形劇《にんぎょうげき》サークルなんだ。合宿施設《がっしゅくしせつ》に着いちゃえば、雨が降《ふ》ろうがヤリが降《ふ》ろうがどうってことない。夏休み明けの人形劇《にんぎょうげき》コンクールに向けてみっちり練習するだけだもん。まあ、天気がよければ、駅の向こうの山にハイキングに行きたかったけどね……。

合宿施設《しせつ》はきれいでいい感じ。あたしたちが使うA棟《エーとう》は少人数向けだけど、人形《にんぎょう》劇《げき》の練習には十分すぎる広さの活動ルームのほか、大きいモニターが設置《せっち》されたAV《エーブイ》ルームもある。

キッチンも広くて使いやすそう。

「ねえねえ2段《だん》ベッドあるよー。」

「ここにずっと住みたくなっちゃうね！」

なんて、みんな大喜《おおよろこ》び。

部屋割《へやわ》りをして、荷物を整理して――お茶をしてからあたしたちはさっそく練習を始めたんだけど。なんだか外がうるさいみたい？

車のスピーカーから流れる声は、音が割《わ》れててよく聞き取れない。

サユキが窓《まど》を開けて、外の様子をうかがう。

「あの車、なんか『注意してください』って言ってたみたいだよ。」

「雨のことじゃない？」

窓《まど》の外は、かなりのどしゃ降《ぶ》りだ。さっきよりひどいかも？

「もしかして明日とか、買い物にも行けなくなるかもよ？　食料の買い出しに行っといた方がよくない？」

リエの提案《ていあん》にしたがって、急きょ練習を中断《ちゅうだん》。

じゃんけんで負けたユーリとリエとマナが買い物に、あたしとサユキは残って夕飯の準備《じゅんび》をすることになった。

数十分後。

インターホンが鳴ったので、てっきりユーリたちが帰ってきたと思ったら、そこにいたのは施設《しせつ》の管理人のおじさんだった。

ポンチョを着こんだおじさんは落ち着かない様子だ。今、3人が買い物に行ってると言うと、困《こま》った顔になる。

「えっ、全員いないの？　危《あぶ》ないから、もう避難《ひなん》したほうがいいよ。」

「そろそろ帰ってくると思いますけど。」

さっき橋をわたったとき、川をのぞいてみて「もしかしてこれ、けっこう増水《ぞうすい》してるのかな？」って思ったけど。

「近くの住民たちは避難《ひなん》を始めてるよ。早く高い場所に逃《に》げた方がいい。」

「そんなに危《あぶ》ないんですか？　ここってスズメが丘町《おかまち》っていうくらいだし、『丘《おか》』ですよね？」

と言ったとき、3人が「もうビショビショだよ〜」と口々《くちぐち》に言いながら帰ってきた。

おじさんの話を聞くと、みんな不安そうに顔を見合わせたけど——リエは得意《とくい》そうに言ったんだ。

「だいじょうぶだと思いますよ。今歩いてきたら、最初に通ったときより川の水位が低くなってましたから。」

それを聞くと、おじさんの顔がサッと青ざめた。

「川の水位が下がった？　グズグズしてたらダメだ。最低限《さいていげん》の貴重品《きちょうひん》だけ持ってきて。３分以内に避難《ひなん》するよ！」


**おじさんは、「川の水位が下がった」と聞いて警戒《けいかい》を強めた。「水位が上がった」ならともかく、「下がった」のになぜ危険《きけん》なのだろうか。**

## 解説《かいせつ》　土石流の前ぶれ

雨が激《はげ》しく降《ふ》り続いているのに水かさが減《へ》るのはおかしい。これは上流の方で土《ど》砂崩《しゃくず》れが起こり、どこかで一時的に水がせき止められている可能性《かのうせい》を意味するのだ。一気に崩《くず》れてくる「土石流」が起こる前に避難《ひなん》しなければいけない。

土砂災害《どしゃさいがい》は、大きく①崖崩《がけくず》れ、②地すべり、③土石流に分けられるが、もっとも危険《きけん》なのが土石流だ。土や砂《すな》に多量の雨水が混《ま》じると、水だけの場合よりさらに強力なパワーとなって、家や木をなぎ倒《たお》す。土石流の前ぶれは、ほかに山鳴り、急に川の水がにごる、ゴミや流木などが流れてくる、川の異臭《いしゅう》など。急斜面《きゅうしゃめん》ばかりでなく、ほとんど傾斜《けいしゃ》がないように見える土地でも起こりうる。大雨のときだけでなく、地震《じしん》で地盤《じばん》がゆるんだ場合にも警戒《けいかい》を。

ちなみに、地名に「丘《おか》」「台」などがついていても、実際《じっさい》には「高台」ではないことがある。新しく開発された住宅地《じゅうたくち》などで、イメージをよくするために、こうした名前をつけるケースもあるのだ。

# 24

# 上か下か

## 危険《きけん》→なぜ？

「この地域《ちいき》では、かつて土石流が発生したことがあったそうなんだ。」

おじさんの説明に、あたしはふるえ上がった。

「土石流って……土砂《どしゃ》のなだれみたいなやつだよね？」

「テレビで見たことある。家や車も流されちゃうんだよ。」

マナはもう半泣きになっている。おじさんは、マナの肩《かた》をポンとたたいた。

「落ち着いて。絶対《ぜったい》に起こるとは言ってないし、起こってもたいしたことないかもしれない。だけど、取り返しのつかないことにならないように避難《ひなん》するんだよ。」

おじさんは「管理人室をしめてくるから、用意したら外に出て待ってて」と言うと、バシャバシャ水をはね上げて走っていった。

外に出ると――ユーリが猛然《もうぜん》と歩きはじめたから、あたしはあわてて引きとめた。

「おじさんが待ってろって言ったじゃん。それに、そっちは川下だよ。」

「え、そうだっけ？」

あたしはちょっとあきれた。考えなしにもほどがある。

「下に行ったら危《あぶ》ないに決まってるじゃん。水は下に流れるんだから。」

あたしが言うと、サユキが言った。

「でも、追いかけてくる土砂《どしゃ》からできるだけ遠ざかった方がいいんじゃないの？」

う〜ん。そう言われてみると、そんな気もするなぁ。

それにしても――ここってゆるい坂の下だったんだ。ほとんど傾斜《けいしゃ》がないから歩いてきたときは気づかなかったけど。駅の方向をふり返るとよくわかる。

今ははるか遠くの小さい山がやけに大きく、おそろしく見える。

そこへ、管理人室からおじさんがかけ出してきた。

「用意はいいか？　じゃあ、行くよ！」

おじさんは川上の方を向いている。やっぱり川上でいいんだよね。

だけど、あたしは歩き出そうとしてハッとした。おじさんたら、長靴《ながぐつ》じゃなくて
スニーカーなんかはいてる。

この人を信頼《しんらい》してついて行っていいのかな……？


**土石流の可能性《かのうせい》がある場合、どっちの方向に逃《に》げたらいいのだろうか。このおじさんの災害対策《さいがいたいさく》の意識《いしき》、判断《はんだん》は信頼《しんらい》できるのだろうか。**

## 解説《かいせつ》　土石流

土砂災害《どしゃさいがい》の危険《きけん》がある場合は、川下に向かって逃《に》げてはいけない。土石流は時速20〜40キロのスピードなので、確実《かくじつ》に追いつかれて巻《ま》きこまれてしまう。高いところに（川上）に向かうべきだが、土石流が押《お》し寄《よ》せてきたら、それに逆《さか》らって上るのも不可能《ふかのう》。つまり、流れに対して①直角に（流れを避《さ》けるように右か左に）②できるだけ高い方へ移動《いどう》するのがベストの選択《せんたく》だ。

洪水《こうずい》、浸水《しんすい》の場合ならば高いところ（屋内《おくない》でもいい）に逃《に》げる「垂直避難《すいちょくひなん》」でよい。ただし、土石流が起こったら、家や車さえ流される危険《きけん》が高まると覚えておこう。

ちなみに、おじさんが長靴《ながぐつ》ではなくスニーカーをはいてきたのは正しい。水害のときは、長靴《ながぐつ》の中に水が入って歩きにくくなったり、水かさが増《ま》すとぬげやすくなる。ビショビショになってしまっても、スニーカーの方が歩きやすいのだ。

# 25

# 生きている証拠《しょうこ》

## 危《き》険《けん》↓なぜ？

急に雲ゆきがあやしくなってきたなあと思ったら、大粒《おおつぶ》の雨がバラバラ降《ふ》り出して。ピカッと稲妻《いなずま》まで光りはじめた。

そして……ドーンという音！

「今の、落ちたんじゃね？」

「かもな……。」

オレとナオキはあたりを見回した。ここは広い公園だ。近くには高い木もないし、それほど危険《きけん》じゃないかもしれないが……不安ではあった。さっきの音からして、けっこう近くに雷《かみなり》が落ちたんじゃないかと思ったから。屋内《おくない》に入った方がいいだろう。

オレたちは、公園のはしに見える公衆《こうしゅう》トイレをめざしてかけ出した。

頭の上でまた光った！　その直後、さっきよりすごい音と衝撃《しょうげき》を感じて……。

「あっ！」

オレの前を走っていたナオキが、地面にバッタリと倒《たお》れたんだ。


「ナオキ、おい！」

あわてて横向きに倒《たお》れたナオキにかけ寄《よ》り、顔をのぞきこむ。目はとじている。

意識《いしき》はあるのか⁉　え、こんなときどうしたらいいんだ？

パニックになっていると。

「だいじょうぶ？」

後ろに大学生くらいのお兄さん、お姉さんが立っていた。

看護《かんご》学校の学生だというお兄さんはナオキの横にひざをつくと、肩《かた》をたたいて「だいじょうぶ？」と大声で呼《よ》びかけた。反応《はんのう》はない。お兄さんはお姉さんに「救《きゅう》急車《きゅうしゃ》を呼《よ》んで」と指示《しじ》し、ナオキの脈《みゃく》をとったりしはじめた。

「呼吸《こきゅう》がない、脈《みゃく》も。」

お兄さんが小さくつぶやいたのをオレは聞き逃《のが》さなかった。まさか……。

そのとき。

白い顔のナオキが、ゴフッとあえぐような声を出したんだ。2回、3回と続けて。

「やった！　生きてる！」

オレは飛び上がって喜《よろこ》んだ。


**看護学生《かんごがくせい》のお兄さんの見立ては厳《きび》しいようだが、主人公のように喜《よろこ》んでいいのだろうか。**

## 解説《かいせつ》　死戦期呼吸《しせんきこきゅう》

雷《かみなり》に打たれて倒《たお》れた人や、おぼれた人を救助《きゅうじょ》したとき。最初にするのは、肩《かた》をたたく、大きな声で呼《よ》びかけるなどして意識《いしき》があるか確《たし》かめること。反応《はんのう》がなく、胸《むね》が上下に動いていなかったり、脈拍《みゃくはく》が感じられなければ呼吸《こきゅう》が停止《ていし》していると思われる。この場合、すぐに救命処置《きゅうめいしょち》を始めなければいけない。救急隊員《きゅうきゅうたいいん》が来るまでの処置《しょち》が明暗を分けるのだ。

主人公は、ナオキがしゃくりあげるような音を出したのを「呼吸《こきゅう》をしている」と思った。だが、これは急に心臓《しんぞう》が停止《ていし》したときに、心臓《しんぞう》の動きが残っていて起こる「死戦期呼吸《しせんきこきゅう》」と呼《よ》ばれるもので、呼吸《こきゅう》ではない。素人《しろうと》には見分けるのが難《むずか》しいが、緊急時《きんきゅうじ》には楽観視《らっかんし》しない態度《たいど》が必要だ。

お兄さんは周囲《しゅうい》に集まってきた人にＡＥＤ《エーイーディー》（自動体外式除細動器《じどうたいがいしきじょさいどうき》）を探《さが》してきてくれるよう頼《たの》み、すぐに心臓《しんぞう》マッサージを開始した。

## 26 歌の力

### 危険《きけん》↓逆転《ぎゃくてん》？

「AED《エーイーディー》（自動体外式除細動器《じどうたいがいしきじょさいどうき》）は公園の管理所にあるかも。行ってきます！」

だれかがバタバタと走っていった。

ナオキの状態《じょうたい》は危険《きけん》らしい――。

ナオキの横にひざまずいているお兄さんは、ふうっと息を大きく吐《は》いて両手を重ねた。

そして、ナオキの胸《むね》の真ん中を押《お》して、心臓《しんぞう》マッサージをはじめたんだ。

「お願いします、ナオキを助けてください！」

ボロボロ涙《なみだ》がこぼれる。足がガタガタしてふらつくと。

「だいじょうぶ、すぐに救急車《きゅうきゅうしゃ》も来るからね。」

お姉さんが、手をにぎってくれた。

オレは情《なさ》けないよ。お兄さん、お姉さんがいてくれてよかった。本当によかったけど。こんなたいへんなときに、何もできずに……みっともなく泣いてるだけなんて。

すると、お兄さんが少し顔を上げて言ったんだ。

「きみ、歌ってくれよ。『アンパンマンのマーチ』、知ってるだろ？」

え？　アンパンマンの歌？

ポカンとしていると、お姉さんがつないだ手をゆらしてリズムを取りはじめた。

「♪そうだ　うれしいんだ　生きる　よろこび……」

オレは腹《はら》の底から声をはり上げた。

お姉さんの声、それからまわりの人たちも声を合わせる。手拍子《てびょうし》が起こる。

オレはわけがわからないまま――ただ、せめてお兄さんとナオキをはげましたい一心で、何度もくり返して夢中《むちゅう》で歌った。そして、我《われ》に返ったときには、救急隊員《きゅうきゅうたいいん》の人がナオキの手当てをしていたんだ。

「よかったね。ナオキくん、もう心配ないよ！」

お姉さんに声をかけられて、オレは地面にへたりこんだ。

「がんばったな！　助かったよ！」

お兄さんもこう言ってくれた。オレなんか歌っただけだけど、少しでもお兄さんの力になったのかなぁ。

オレが、お兄さんの言葉の意味を理解《りかい》したのは、このあと、地域《ちいき》の救命訓練《きゅうめいくんれん》に参加したときのことだ。


**主人公は歌で精神的《せいしんてき》にお兄さんをはげましただけでなく、何かの役に立っていたのだろうか。**

## 解説《かいせつ》　心臓《しんぞう》マッサージ（胸部圧迫《きょうぶあっぱく》）

効果的《こうかてき》に心臓《しんぞう》マッサージを行うには「強く、速く、絶《た》え間《ま》なく」。両手を重ねたつけ根の部分を、胸《むね》の真ん中（左右の乳首《ちくび》の真ん中）に当てる。腕《うで》はのばして（ひじを曲げない）、手の平のつけ根に体重をかけるように、胸《むね》が4〜5センチしずむように深く圧迫《あっぱく》する。押《お》すときのテンポは1分間に100〜120回。『アンパンマンのマーチ』は、このリズムをとるのにちょうどいい曲として知られている。歌い出しの「そうだー」で2回押《お》すことになる。主人公の歌は、リズムをキープするのに役立ったわけだ。呼吸《こきゅう》、脈拍《みゃくはく》の動きのあるなしは、医療従事者《いりょうじゅうじしゃ》でないと正確《せいかく》には判断《はんだん》できない。だが、呼吸停止《こきゅうていし》、心停止《しんていし》の疑《うたが》いがあれば迷《まよ》わず心臓《しんぞう》マッサージを行うべき。
ＡＥＤ《エーイーディー》（自動体外式除細動器《じどうたいがいしきじょさいどうき》）は心臓《しんぞう》に電気ショックを与《あた》え、正常《せいじょう》なリズムにもどすための機器で、学校や公共施設《こうきょうしせつ》に置かれていることが多い。心臓《しんぞう》マッサージと併用《へいよう》すると、救命率《きゅうめいりつ》が上がる。いざというときのため、地域《ちいき》で開かれる救命訓練《きゅうめいくんれん》に積極的に参加して、心臓《しんぞう》マッサージのやり方を覚えておこう。

27

# 平成の米騒動《こめそうどう》

## 危険《きけん》→なぜ？

すっぱいトムヤムクンスープ、パクチーがいっぱいのってるサラダ。ココナッツミルク入りのグリーンカレーに、イエローカレーも。それからエビやニラの入ったパッタイっていう焼きそばも来て、テーブルの上はいっぱいになった。

きょうは、あたしのリクエストでタイ料理屋さんに来たんだ。

「シオリ、高校合格《ごうかく》おめでとう！」

「ありがとう！」

あたしはココナッツジュース、パパとママはビールでカンパイ！

「あ〜、ここのグリーンカレー、最高においしい！」

ひと口食べて満足げに言うと、ママはお皿をしげしげとながめた。

「あたし、いまだにタイ米《まい》を食べると米不足の騒動《そうどう》を思い出すんだよね。」

「オレもそう！　あのころ、タイ料理なんて今ほどポピュラーじゃなかったしね。初めてタイ米を食べたときは、こんなの食べられないって思ったよ。こうやってタイカレーといっしょに食べればおいしいけどさ。」

パパもなんだか盛《も》り上がってる⁉

あたしだけ話についていけない。

「ねえ、米不足って……いつの時代の話？」

パパとママは顔を見合わせて笑った。

「あたしたちだって、米不足なんてありえないと思ったよね。」

「そうそう。冗談《じょうだん》で、百姓一揆《ひゃくしょういっき》でもするかとか言ってたけど。」

「米不足があったのは1993年。平成5年だね。その年、記録的な冷夏で稲《いね》が育たなくて。その年の秋から冬にかけて、スーパーやお米屋さんからお米が消えちゃったんだよ。それで、急遽《きゅうきょ》タイ米《まい》が輸入《ゆにゅう》されたんだ。当時はタイ米《まい》って一般的《いっぱんてき》じゃなかったからとまどったよね。日本のお米はタイ米《まい》とセットじゃないと売ってくれないお店もあってね。ちょっとしたパニックだったよ。」

「ふーん。だったら他のもの食べればいいのに。まさにあれじゃん？　マリー・アントワネットが言ったっていう――『パンがなければお菓子《かし》を食べればいいじゃない』って。マリー・アントワネットの時代じゃ、みんな怒《おこ》ったかもしれないけど現《げん》代《だい》ならそれはアリだよね。」

「そうだけど、ないって言われると無性《むしょう》に食べたくなるんだよね、お米が。」

その気持ちはわからなくないかも。

「マリー・アントワネットで思い出したけど。シオリ、フランス革命《かくめい》は何年に起こったかわかる？」

パパがサラダを口に運びながら質問《しつもん》する。

「世界史《せかいし》が苦手だってそのくらい知ってるよ。１７８９年でしょ！」

「正解《せいかい》！　エビをさしあげます！」

パパはサラダの中のエビをあたしのお皿に取り分けて言った。

「アイスランドで１７８３年から次の年にかけて噴火《ふんか》が起こってね。この噴火《ふんか》が、フランス革命《かくめい》の原因《げんいん》になったといわれてるんだ。」

「え、噴火《ふんか》？」

あたしは混乱《こんらん》した。話のつながりがよくわからないけど……こういうことかな。「火山灰《かざんばい》が降《ふ》ると作物がダメになるよね。火山灰《かざんばい》はすごく遠くまで飛ぶから、アイスランドの火山灰《かざんばい》がフランスまで飛んでいった。それでフランスも食糧不足《しょくりょうぶそく》になって、庶民《しょみん》の暮《く》らしが苦しくなったからフランス革命《かくめい》が起こったとか？」

「おお、よく勉強してるね。おおまかには合ってるよ。」

パパが「おおまかに」と言った意味はわかる。火山灰《かざんばい》が作物をダメにするとはいっても、噴火《ふんか》とフランス革命《かくめい》の間は５～６年あいてる。火山灰《かざんばい》が降《ふ》っただけで、そんなに長く畑がダメになっちゃうってこと、あるのかなぁ。

すると、だまって聞いていたママが口を開いた。

「ずいぶんあとで聞いたんだけど、あの米不足って２年前のフィリピンのピナツボ火山の噴火《ふんか》が影響《えいきょう》してたんだって。」

「フィリピン？　そんな遠くの噴火《ふんか》が？　しかも2年前の？」

「変な話だよね。そういえば日本には火山灰《かざんばい》は降《ふ》らなかったはずだけど……。」

ママが自信なさそうに言うと、パパはニヤッとした。

「そう。1991年のピナツボ火山の噴火《ふんか》のとき、日本に火山灰《かざんばい》は降《ふ》っていない。だけど、その火山灰《かざんばい》は2年後の冷害の原因《げんいん》になったんだ。」


**1991年のフィリピンの火山の噴火《ふんか》は、2年後の日本の冷害に関連しているという。火山灰《かざんばい》が冷害をもたらすとはどういうことだろうか。**

## 解説《かいせつ》　噴火《ふんか》と冷害の関係

火山灰《かざんばい》は想像《そうぞう》以上に広範囲《こうはんい》に飛散する。大規模《だいきぼ》な噴火《ふんか》が起こると、火山灰《かざんばい》、チリや噴煙《ふんえん》ガスは成層圏《せいそうけん》にまで到達《とうたつ》する。１９９１年に起こったピナツボ火山の大噴火《だいふんか》では、噴煙《ふんえん》は成層圏《せいそうけん》にかなり長期間とどまり、太陽の日射《にっしゃ》をさえぎったため世界中で異常気象《いじょうきしょう》が起こった。２年後に日本に冷夏がもたらされたのもこの影響《えいきょう》なのだ。

アイスランドのラキ火山の噴火《ふんか》と、フランス革命《かくめい》の関係性《かんけいせい》も同じである。５年間も異常気象《いじょうきしょう》に悩《なや》まされた江戸《えど》時代の天明《てんめい》の大飢饉《だいききん》（１７８２〜１７８７年）は、浅間山《あさまやま》の噴火《ふんか》や洪水《こうずい》などが主な原因《げんいん》と思われていたが、実はこのときの冷害にもラキ火山の噴火《ふんか》が関係したと考えられている。

１９９３年の米不足を経《へ》て、日本政府《せいふ》ではより米の備蓄《びちく》に力を入れるようになった。また、寒さに強い米の品種も開発されているので、今後米不足におちいることはないだろう。

# 28 竜《りゅう》のすむ海

危《き》険《けん》↓逆《ぎゃく》転《てん》？


「テオ、『竜《りゅう》の海』の釣《つ》り競争に参加するって聞いたけど、本当かい？」

「村長の孫だからっていばってるケネスに意《い》気《く》地《じ》なしだってバカにされるのはいやだからね。」

テオは、困《こま》ったような顔で言った。

「竜《りゅう》の海」は小さな海《かい》峡《きょう》だが、ときどき激《はげ》しい渦《うず》を巻《ま》く。昔からたくさんの村人が渦《うず》にのまれて命を落としていて、「竜《りゅう》がすむ」と言い伝えられている。

そんな大人だって近づかないような場所で、夜《よ》釣《づ》り競争をやるなんて。釣《つ》りの腕《うで》を競うというより、バカバカしい度《ど》胸《きょう》試《だめ》しの競争だ。

「テオ、考え直せよ。死んでしまうよ。」

「でも、参加するって言ったのに、今さら辞退《じたい》するなんてカッコ悪いよ。」

「そうか。競争のルールはどうなってるんだい？」

参加者はケネスも入れて7人で、1週間にわたって行われるという。1人ずつ別の日に行うのは、舟《ふね》がぶつかりあったりする危険《きけん》を避《さ》けるためだそうだ。

「1日目はオレだ。満月の日だから一番有利だってさ。ケネスは最後の日だ。」

「なんでケネスはおまえに有利な条件《じょうけん》の日を割《わ》り当てたんだ？　あやしいな。」

ぼくはしばらく考えこんだ。ケネスは、釣《つ》りが上手なテオにライバル心を持っている。これは、テオをおとしいれるワナじゃないだろうか。

テオの家から帰る道々《みちみち》、ぼくは夜空の月をながめた。

規則正《きそくただ》しく太ったりやせたりする月って不思議だなあ……なんて思っているうちに、「もしかしたら」と思いついたことがあったんだ。


次の日、ぼくは再《ふたた》びテオを訪《たず》ねて言った。

「いいかい、テオ。『有利な日を割《わ》り当てられるのはナメられてるみたいで気に入らない。あとで文句《もんく》を言われるのはイヤだからケネスの日と交換《こうかん》してくれ。でなければ辞退《じたい》する』って言うんだ。これなら、カッコ悪くないだろう？」

「うん、そうだな。だけど、それにどんな意味があるんだい？」

「まあ、やってみてくれ。こう提案《ていあん》すれば、ケネスは競争を中止するはずだ。」

テオが、ぼくの言った通りにケネスに申し入れると——思った通りケネスはあわてた様子で「競争は中止にする」と言ったそうだ。


**主人公はなぜ、テオとケネスが釣《つ》りを行う日を入れ替《か》える提《てい》案《あん》をするように言ったのだろうか。**

## 解説《かいせつ》　渦潮《うずしお》

主人公は月を見て、渦潮《うずしお》にも周期があるのではないかと推測《すいそく》した。ケネスが「満月の日はもっとも渦潮《うずしお》が激《はげ》しくなる」と知っていて、テオに割《わ》り当てたのを見破《みやぶ》ったのである。渦潮《うずしお》は、海水が激《はげ》しく渦《うず》を巻《ま》く自然現象《しぜんげんしょう》だ。渦潮《うずしお》が発生するのは地球と月、太陽の引力による潮《しお》の満ち引きのため。海水が引力で引っぱられ、水位がもっとも高くなるのが満潮《まんちょう》。水位がもっとも低くなるのが干潮《かんちょう》だ。満潮《まんちょう》と干潮《かんちょう》は約6時間周期で交互《こうご》にくり返されるが、地形によっては「満潮《まんちょう》と干潮《かんちょう》がとなり合わせて起こる」ことがある。この満潮《まんちょう》と干潮《かんちょう》のぶつかり合いから渦潮《うずしお》が発生する。

渦潮《うずしお》がもっとも激《はげ》しくなるのは、満潮《まんちょう》と干潮《かんちょう》の差が大きくなる満月と新月（地球から月が見えない状態《じょうたい》）の日。満月と新月の周期は約14・8日周期だ。この真ん中の「満月から7日目」は、逆《ぎゃく》にもっとも満潮《まんちょう》・干潮《かんちょう》の差が小さくなるおだやかな日なのである。ケネスは一番安全な日を自分に、一番危険《きけん》な日をテオに割《わ》り当てたのである。

# 29

# 気がきく少年

## 失敗→なぜ？

静かな波が起こって、砂《すな》だらけの足を生ぬるい海水が洗《あら》い流していく。

不意に背中《せなか》から水しぶきをかけられて、ミツルはクルリとふり返った。しょっぱい海水が目に入り、「いてて」と声をあげると弟のカンタはうれしそうに笑い転げる。ミツルが「やったな！」とカンタを追いかけていると、ハルキおじさんが近づいてきた。

「ミツル、カンタ！　そろそろ休憩《きゅうけい》しよう。」

「えー、まだいいよ。もっと遊ぼうよ！」

カンタは逃《に》げ回ったが、ミツルの方はものわかりよくうなずいた。

「カンタ、水分補給《ほきゅう》しようぜ。ちゃんと水分をとって休まないと熱中症《ねっちゅうしょう》になるからな。兄ちゃんの友だちで、熱中症《ねっちゅうしょう》になって水の中で足がつっておぼれそうになったヤツがいるんだよ。」

両親のいるテントにもどるとミツルはかわいたタオルをカンタにかぶせてやり、プラスチックのコップを準備《じゅんび》する。

「おじさん、何飲む？　カンタは？」

「へえ。ミツルはずいぶん気がきくなぁ。小学5年生ともなるとちがうね。」

ハルキおじさんがほめると、2人のママは苦笑してミツルをつついた。

「ミツルはハルキおじさんのことが大好きだから、はりきってるのよ。朝から『今日、ハルキおじさん来るよね？』ってうるさくって。」

ミツルは照れくさそうに笑った。

ミツルにとってハルキおじさんは、あこがれの大人なのだ。

ハルキおじさんは、学生時代の友だちといっしょにパン屋さんとカフェがいっしょになった店を経営《けいえい》している。ミツルはそのお店に連れていってもらうと、いっぺんで気に入ってしまった。

それから、将来《しょうらい》ハルキおじさんのお店で働くことがミツルの夢《ゆめ》になったのだ。

ハルキおじさんが「じゃあ、もう少し大きくなったら弟子《でし》にしてやるよ」と言ってくれたものだから……ミツルはハルキおじさんに認《みと》められようと一生けん命なのだ。

「ハルキおじさん、ぼくが作ったサンドイッチ食べてくれた？」

そんなわけで、ミツルは料理の特訓中でもある。

「ああ、タマゴサンド、おいしかったよ！」

「やったぁ！」

ミツルはうれしくなって、自分でももう一度味見をするためサンドイッチにかぶりついた。

いつのまにかウトウトしていたミツルは、目を覚ますとあたりを見回した。

「ママ、ハルキおじさんは？」

「カンタを連れて遊びに行ったばっかりだよ。」

「だったらぼくも起こしてくれればいいのに！」

ミツルが急いで立ち上がると、そこへカンタがかけてきた。

「あのね。おじさんが『クーラーボックスを持ってきて』だって。」

「わかった！」

ミツルは、ママより早くクーラーボックスに手をのばす。ハルキおじさんの「弟子《でし》」として、命令に応《おう》じるのは自分の役目だと思いこんでいるのである。

クーラーボックスには、2リットル入りのペットボトルが何本か入っている。

（おじさんはコーラが好きだよな。それかウーロン茶？　両方持っていっとくか。）

ミツルはプラスチックのカップと、コーラとウーロン茶のペットボトルをかかえて走りだした。

「おじさん。コーラとウーロン茶、どっちがいい？」

ミツルが岩の上に立っているハルキおじさんに声をかけると……おじさんは、ふり返って目を丸くした。そして、次の瞬間《しゅんかん》――。

ミツルの手からペットボトルをうばうとフタを開け、2本とも中身を砂浜《すなはま》にぶちまけてしまったのだ。

ミツルはおじさんの行動に驚《おどろ》き、ぼうぜんと立ちつくした。


**ハルキおじさんは、せっかくミツルが持ってきたコーラとウーロン茶を全部まいてしまった。おじさんはどういうつもりなのだろうか。**

## 解説《かいせつ》　おぼれた人を助ける

ハルキおじさんは、助けを求めている人を見つけたところだった。自分で飛びこまなかったのは、泳ぎに自信がなかったため。むやみに飛びこむと、自分もいっしょにおぼれてしまう。おじさんは、要救助者《ようきゅうじょしゃ》に近い岩場に登ると「その場で浮《う》いて待つ」ように指示《しじ》した。それから、周囲《しゅうい》の人にライフセーバー（海の監視員《かんしいん》）を呼《よ》びに行かせ、カンタにクーラーボックスを持ってくるように頼《たの》んだ。

おじさんは飲み物がほしかったのではなく、クーラーボックスをうきわの代わりに投げるつもりだったのだ。誤解《ごかい》したミツルがペットボトルを持ってきたので、とっさに中身を捨《す》て、しっかりフタをしめて投げたというわけ。

おぼれかけたときや、波に流されてしまったときはあわてて泳ごうとせずに「浮《う》いて助けを待つ」のがいい。ペットボトルやクーラーボックスなどつかまるものがあると、より浮《う》きやすくなる。イメージはラッコの姿勢《しせい》だ。いざというときのため、上を向いて浮《う》く方法を覚えておこう。

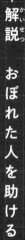

30

# 遠ざかる岸

危険《きけん》↓対処《たいしょ》？


海水ってホントに体が浮《う》きやすいよな。

毎日学校のプールで泳いでるオレには、ふつうの水とのちがいがよくわかる。

きょうは天気もいいから、海水はあたたかくて気持ちよくて。大げさなようだけど、海の生き物になった気分。

どこまでも泳いでいけそうだ。

まあこんな沖の方までは、オレとトキワくらい泳ぎに自信がないと来れないけど。なんて、少し得意《とくい》な気持ちになっていた。

ところが、そろそろもどろうかと思ったとき、異変《いへん》に気づいたんだ。

S《エス》中学水泳部で一番速いタイムを持ってるオレとしたことが、いつもの調子で泳いでるはずなのに、岸が全然近づかない。

おかしい。

いっしょに泳いでいたトキワは、オレの少し後ろにいた。トキワはオレの次に速い選手だが、苦しそうに泳いでいる。やっぱり思うように進めないようだ。トキワはオレの視線《しせん》に気づいてさけんだ。

「流れに、もどされてる！」

そう……だよな。どうしてもっと早く気づかなかったんだろう。

がむしゃらに腕《うで》を動かし、水をけっても……岸は近づくどころか、じわじわと遠ざかっていく。このままじゃ、ヤバい。

水泳部の仲間……いや、だれでもいい、気づいてくれ！

「おーいおーい！　助けて！」

オレは何度も声をはりあげ、めちゃくちゃに手をふった。

はずみで、顔が鼻まで水にしずんで……オレはゴボッと水を吐《は》きだした。

「やめろ、ムダだ！」

トキワが少しはなれたところからどなるのが聞こえた。

ムダ⁉　まさか、おまえ、あきらめてんのかよ⁉

そう言いたかったが、息があがってうまくしゃべれない。口をパクパクさせているると、トキワは手で合図をした。

そして、まるでトンチンカンな方向に泳ぎだしたんだ。

どうしちゃったんだ、いったい。だけど、すでにけっこう体力を消もうしてるオレにはあいつを引っぱって泳ぐ力は残ってないだろう。

トキワを見捨《みす》てる？　いや、なんとか連れもどすべきか……？


**トキワは主人公に、助けを呼《よ》ぶのをやめさせた。そして、岸とはちがう方向に泳いでいった。彼《かれ》に何が起こったのだろうか。**

## 解説《かいせつ》　離岸流《りがんりゅう》

主人公たちは「離岸流《りがんりゅう》」に流されていた。岸に向かって強い風が吹《ふ》くと、岸に向かって波が起こる。離岸流《りがんりゅう》とは、岸辺に打ち寄《よ》せた水が沖にもどろうとして起こる現象《げんしょう》だ。いつのまにか沖に流され、岸に向かおうとしても押《お》しもどされてしまう。

こんなとき、流れに逆《さか》らって泳いでも疲《つか》れるだけ。トキワは岸と平行の向きに泳ぎ、離岸流《りがんりゅう》から逃《のが》れたところで岸に向かおうと考えたのだ。泳ぎが得意《とくい》でない場合は、その場で浮《う》いて助けを待つ方がいい。人が来てから手をふったり、声を出して助けを求めよう。トキワが主人公にさけぶのをやめるように言ったのは、声が届《とど》くところに人がいなかったからだ。大きい声を出すと、肺《はい》から空気がぬけてしずみやすくなる。また、手を上に上げる姿勢《しせい》もしずみやすい。

このあと、主人公はトキワから理由を聞いて納得《なっとく》。まもなく離岸流《りがんりゅう》から逃《のが》れ、無事に岸に泳ぎつくことができたのだ。離岸流《りがんりゅう》は海難事故《かいなんじこ》を多く引き起こしている。泳ぎが得意《とくい》な人も、知らず知らずのうちに流されていないか気をつけよう。

31

# ふきげんな先輩《せんぱい》

危《き》険《けん》↓なぜ？


8月だっていうのに、体の奥《おく》から冷えきってる。足が重たく、前に出なくなってきた。

山の天気は変わりやすいっていうのはホントなんだな。天気予報《てんきよほう》では小雨程度《こさめていど》って言ってたのに、ずいぶん雨が激《はげ》しくなってきた。雨だけならともかく、風が強いのがキツい。

「少し休もうか。」

ミドリちゃんが声をかけてくれた。あたしに気をつかわせないような、さりげない声のトーンにもやさしさを感じる。

「ありがとう。じゃ、ちょっとだけ。」

あたしとミドリちゃんはなるべく雨をよけられるよう、木かげに入った。

びっくりするほど体がこわばっていて、リュックサックを下ろすのもスムーズじゃない。

かじかんだ指先で雨よけのカバーをつけたリュックを開け、水筒《すいとう》を取り出す。

温かくてあまい紅茶《こうちゃ》が胃《い》にしみわたっていくと、気持ちも落ち着くみたい。

それにしても……ミドリちゃんがいてくれてよかった。ミドリちゃんは会社の1年後輩《こうはい》で、すごくしっかりしてる子なんだ。

今日は、会社の同僚《どうりょう》で結成したばかりの登山同好会のメンバー14人で山に来たんだけど。

予想外に風雨が強くなってきて……途中《とちゅう》で「引き返そうよ」って言う人と「このくらい、登山ではふつうだから進もう」って言う人がいて。

とりあえず続行することになったけど、なんだか険悪《けんあく》なムードになっちゃった。

みんな、雨のせいでイライラしてるんだ。

メンバーは男女半々《はんはん》くらい。年齢《ねんれい》はあたしやミドリちゃんみたいな20代から、上は50代まで。一番年上のサメカワ部長がリーダーだけど、みんな好き勝手に行動しはじめて、足並《あしな》みはバラバラに。

あたしが列からおくれはじめたとき、ミドリちゃんが横についてくれてどんなに心強かったか。

「ミドリちゃん、ありがとう。あたしはもう行けそうだよ。」

「じゃあそろそろ出発しましょうか！」

ミドリちゃんはニコッと笑うと、リュックから取りだしたアメをひとつかみレインウェアのポケットに入れ、あたしにも分けてくれた。

さっそくアメを口にほうりこんだら、歩きだす元気が出てきた。がんばろう！

「あれ、ヤマザワさんですよね？」

ミドリちゃんが指さす方に、木の下に座《すわ》りこんでいる男の人が見えた。

あの目立つ黄色のウェアは、たしかにヤマザワさんだ！　ヤマザワさん、先頭の方を歩いてたはずなのに？

「ヤマザワさん、だいじょうぶですか？」

ミドリちゃんが声をかけると、ヤマザワさんは顔を上げた。

「つかれたからちょっと休んでるだけだ。」

心配して言ったのに、ヤマザワさんの返答はそっけない。

「座《すわ》ってたら体冷えちゃいますよ。重ね着したほうがいいんじゃないですか？」

「あったかい紅茶《こうちゃ》ありますけど、飲みますか？」

だけど、ヤマザワさんはめんどくさそうに言ったんだ。

「そんなのオレも持ってるから。先に行って。」

あたしはミドリちゃんと顔を見合わせた。ここまで言われたら……ねぇ。

「わかりました。じゃあ先に行ってますね。」

仲間ではあたしたちが一番最後だったから、ヤマザワさんを1人で残していくのは気が引けたけど、しょうがない。

「なんかイヤな感じだったよね。いつもはあんなじゃないのに。」

「年下のあたしたちに心配されるの、カッコ悪いと思ったのかもしれないですよ。」

「そっか。ヤマザワさん、しっかりしてる人だしだいじょうぶだよ。出発前に、リュックに食べ物や着がえの服もいっぱい入ってるの見たしね。」

すると、ミドリちゃんはピタッと足を止めた。

「やっぱり、だいじょうぶじゃないかも……。ヤマザワさんのところにもどりましょう。救助《きゅうじょ》を呼《よ》んだ方がいいかもしれないです。」


**ミドリは、ヤマザワが「十分な食べ物や着がえを持っている」と知って、かえって心配を強めたようだ。「先に行け」と言われたのに、なぜ助けが必要だと思ったのだろうか。**

## 解説《かいせつ》　低体温症《ていたいおんしょう》

ヤマザワは「低体温症《ていたいおんしょう》」を起こしていた。ミドリは、低体温症《ていたいおんしょう》の知識《ちしき》はなかったものの、ヤマザワがいつもとちがって怒《おこ》りっぽい様子だったり、着がえを持っているのに服を着ようとしないのを「何かおかしい」と直感したのだ。2人はヤマザワに温かい紅茶《こうちゃ》を飲ませたりウェアを着させ、救助《きゅうじょ》を呼《よ》んだ。処置《しょち》が早かったためにヤマザワは回復《かいふく》したが、低体温症《ていたいおんしょう》で命を落とすこともある。

低体温症《ていたいおんしょう》は夏山でも起こる。冷たい雨や風にさらされると、体から熱がうばわれていく。体温が35～33度くらいに下がってくると激《はげ》しく震《ふる》えたり、ふらつくように。頭がぼんやりして判断《はんだん》や行動に問題が生じ、「お茶を飲もう」「もう1枚《まい》着よう」と思ってもできなくなる。目がうつろだったり、言動がおかしい場合、危険《きけん》な状態《じょうたい》がせまっていると考えるべきだ。栄養が不足すると低体温になりやすいため、予防《よぼう》にはこまめに水分や糖分《とうぶん》をとること。風雨が強いとリュックから取り出すのも一苦労なので、アメなどはポケットに入れておくといい。

## 32

# お江《え》戸《ど》の大ピンチ

逆転《ぎゃくてん》↓なぜ？


ときは江戸《えど》時代中期。

簡素《かんそ》な木綿《もめん》の着物に身を包んだ江戸《えど》幕府《ばくふ》8代将軍《しょうぐん》、徳川吉宗《とくがわよしむね》は頭を悩《なや》ませていた。

享保《きょうほう》17（1732）年は最悪の年だった。梅雨《つゆ》が長引き、太陽はなかなか顔を出さず——冷夏のおかげで凶作《きょうさく》に見舞《みま》われた。天候の異変《いへん》のためか害虫も大量発生し、米の収穫《しゅうかく》が大打撃《だいだげき》を受けたのである。特に、収穫不足《しゅうかくぶそく》が深刻《しんこく》だったのは西日本の地域《ちいき》である。

吉宗《よしむね》の側近である加納久通《かのうひさみち》は、手もとの帳面に目を落として口を開いた。

「餓死者《がししゃ》は1万2千人と報告《ほうこく》されています。ですが、実際《じっさい》はもっと多いのではないかとも考えられます。」

多くの餓死者《がししゃ》が出ているとあって、江戸幕府《えどばくふ》はやむなく被害《ひがい》の大きい地域《ちいき》に米を配分した。そのために江戸《えど》でも米が足りなくなり、米の値段《ねだん》は高騰《こうとう》。人々《ひとびと》の生活は圧迫《あっぱく》され、ついには民衆《みんしゅう》が商家を打ちこわす事件《じけん》まで起こっていた。

「何かいい策《さく》はないものか。これ以上年貢《ねんぐ》を引き上げては反感を買うばかりだ。新田を増《ふ》やすにも限界《げんかい》はある。」

「そういえば、不思議なことがございます。瀬戸内海《せとないかい》の大三島《おおみしま》（現在《げんざい》の愛媛県今治《えひめけんいまばり》市《し》）だけは、餓死者《がししゃ》が少ないどころか人口が増《ふ》えているのです。」

「人口が増《ふ》えているだと？　いったい大三島《おおみしま》ではどんな対策《たいさく》をとっていたというのか。ただちに調べてくれ。」

吉宗《よしむね》の命を受け、加納《かのう》は家来の角兵衛《かくべえ》を大三島《おおみしま》に派遣《はけん》した。

大三島《おおみしま》に到着《とうちゃく》した角兵衛《かくべえ》が農地を視察《しさつ》すると——彼《かれ》らは、江戸《えど》では見たこともない作物を作っていたのである。

そして今、角兵衛《かくべえ》はその作物を大三島《おおみしま》に広めたという男、吉十郎《きちじゅうろう》と向かい合っていた。

江戸《えど》の役人を前にした吉十郎《きちじゅうろう》は、落ち着かない様子だ。

「このことは、だれにも言わない約束になっているんです。どうか内密《ないみつ》に願います。命の恩人《おんじん》に迷惑《めいわく》がかかっては困《こま》りますから。」

「わかった。秘密《ひみつ》は厳守《げんしゅ》する。将軍《しょうぐん》たっての願いだ。わが国を救《すく》うと思って話してくれ。」

吉十郎《きちじゅうろう》は、ぼそぼそと重い口を開きはじめた。

「20年ほど前のことです。あのころも凶作《きょうさく》続きで、わたしは4人の子どもを亡《な》くしました。子どもたちの魂《たましい》を慰《なぐさ》める巡礼《じゅんれい》の旅に出かけたとき、薩摩藩《さつまはん》（現在《げんざい》の鹿児島県《かごしまけん》鹿児島市《かごしまし》）でとある農家に泊《と》めてもらったんです……。」

角兵衛《かくべえ》が大三島《おおみしま》で聞いてきた話をすると、吉宗《よしむね》は目を見開いた。

「ふむ。その吉十郎《きちじゅうろう》という男が、薩摩藩《さつまはん》から持ち出しを禁《きん》じられている作物を持ち帰って育てた。そのおかげで大三島《おおみしま》は飢《う》えを逃《のが》れたというのだな。」

「その通りでございます。」

「しかし、薩摩藩《さつまはん》にそんな作物があるとは考えにくいな。」

吉宗《よしむね》は首をひねった。

薩摩《さつま》は、台風による水害や土砂災害《どしゃさいがい》が多い土地である。

さらに致命的《ちめいてき》なのは、火山が多いことだ。火山が噴火《ふんか》して火山灰《かざんばい》が降《ふ》れば、作物はだめになる。昔から何度も大規模《だいきぼ》な噴火《ふんか》が起こっている薩摩《さつま》の土壌《どじょう》は質《しつ》が悪いのだ。火山灰《かざんばい》が降《ふ》り積もった土地は、稲作《いなさく》に適《てき》さない。

吉宗《よしむね》が考えこんでいると、加納《かのう》が口をはさんだ。

「この件《けん》につきましては、わたしも少々《しょうしょう》調べてみました。くわしいことは学者に調《ちょう》査《さ》、研究をさせてみないとわかりませんが——土壌《どじょう》に秘密《ひみつ》があるのではないかと思うのです。ともかく、凶作《きょうさく》に備《そな》える手がかりが見つかるかもしれません。」

吉十郎《きちじゅうろう》が薩摩藩《さつまはん》から持ち帰ったのはみんなもよく知っている作物である。それは何だろうか。

## 解説《かいせつ》 冷害

これは史実《しじつ》をもとにアレンジした話。享保《きょうほう》17（1732）年の「享保《きょうほう》の大飢饉《だいききん》」の際《さい》に大三島《おおみしま》を救《すく》ったのは、吉十郎《きちじゅうろう》が薩摩藩《さつまはん》から持ち帰ったサツマイモだった。サツマイモは栄養豊《えいようゆた》かな土よりやせた土地のほうが育ちやすい、珍《めずら》しい作物なのである。鹿児島県《かごしまけん》はじめ南九州に分布《ぶんぷ》する「シラス台地」は噴火《ふんか》による火砕流《かさいりゅう》、上空から降《ふ》り積もった火山灰《かざんばい》で形成される。水分を保持《ほじ》しにくいため「作物不毛の地」というイメージだが、サツマイモが育つ条件《じょうけん》にはぴったりだったのだ。

サツマイモは中国から沖縄に持ちこまれ、1600年代初頭に鹿児島《かごしま》に伝わる。当時、薩摩藩《さつまはん》ではサツマイモの持ち出しを禁《きん》じていた。関東《かんとう》では、吉宗《よしむね》の命令により青木昆陽《あおきこんよう》という学者がサツマイモの栽培《さいばい》を研究しはじめ、じょじょに栽培《さいばい》が広がっていく。のちの「天明《てんめい》の大飢饉《だいききん》」（1782～1787年）では噴火《ふんか》、長雨、冷害、水害などが重なり、全国で数万人もの餓死者《がししゃ》が出たが、このときサツマイモがなければもっと被害《ひがい》は大きかっただろうといわれている。

33

# 勇気ある司令官

## 危険《きけん》↓なぜ？

ときは西暦《せいれき》79年、古代ローマにて。

「ガイウス、ちょっと来てちょうだい！」

ガイウス・プリニウスは姉の声にただならぬ気配を感じて、立ち上がった。彼《かれ》は水浴びと昼食をすませ、午後の読書を楽しんでいるところだった。

「どうしたんだ？」

「なんだかぶきみな真っ黒い雲が出ているのよ。」

プリニウスは、さっそくベランダに出た。彼《かれ》は要職《ようしょく》にある軍人であり、博物学者でもある。自然科学には特にくわしい。

「あれは……雲じゃない。噴煙《ふんえん》だ！」

プリニウスは青ざめた。空には、巨大《きょだい》な柱の上にかさが開いたような真っ黒い煙《けむり》が広がっている。

「火山が噴火《ふんか》したらしい。すぐに調査《ちょうさ》に行かなければ。しかし、あの噴煙《ふんえん》はどこから上がってるのかな。」

答えは、すぐにもたらされた。プリニウスが出かけようとしているとき、友人から助けを求める手紙が届《とど》いたのだ。手紙には「ヴェスヴィオ火山が噴火《ふんか》して、火山《かざん》灰《ばい》や軽石が降《ふ》り注いでいる。どうか救助《きゅうじょ》の手をさしのべてほしい」と書かれていた。

（すでに大きな被害《ひがい》が出ているかもしれない。とにかく急ごう！）

こうしてプリニウスは部下を連れ、軍船で出発したのである。

船の上には、見る間に火山灰《かざんばい》が積もりはじめた。ヴェスヴィオ火山に近づくにつれ、軽石が降《ふ》り注ぐようになり、さらには焼けただれた熱い石までもが……。その上、海は大荒《おおあ》れで岸に近づくことができない。

「プリニウスさん。これ以上近づくのは無理ですよ！」

「船がひっくり返りそうです！」

部下たちが悲鳴をあげて訴《うった》える。

（引き返すべきか……。）

プリニウスはくちびるをかんだ。

「うむ……わかった。だが、退却《たいきゃく》はしない。」

「えっ⁉」

驚《おどろ》く部下たちに、プリニウスはほほ笑《え》みかけた。

「針路《しんろ》を変えて、スタビアエの町を目指す。スタビアエも被害《ひがい》を受けているはずだ。いいか、運命はいつも勇気ある者の味方をするものだ！」

スタビアエの町に上陸したプリニウスが訪《おとず》れたのは、友人のポンポニアヌスの別荘《べっそう》だ。

「プリニウス、きみが来てくれて心強いよ！　船は用意してあるんだが、とても海に出られそうにないから途方《とほう》にくれていたんだ！」

「ポンポニアヌス、こんなときは落ち着くことだ。」

プリニウスは努めてなんということはないという顔で言った。

「いっしょに風呂《ふろ》でも入らないか。それから夕食をごちそうになりたいね。」


家はグラグラと揺《ゆ》れ、庭には火山灰《かざんばい》や石が積もりつつある。ポンポニアヌスはいよいよ不安になっていた。異変《いへん》が最初に起こったのは昼すぎだが、夜になっても噴《ふん》火《か》はまったくおさまりそうにない。

そして、こんなありさまなのに、1人だけ大いびきをかいてぐっすり眠《ねむ》りこんでいるプリニウスに、ポンポニアヌスは少々《しょうしょう》あきれていた。

（プリニウスはさすが大人物というか……学者っていうのはつくづく変わった人種なんだなぁ。こんな状態《じょうたい》でも、近くで珍《めずら》しい現象《げんしょう》を見届《みとど》けたいと思っているにちがいないよ。）

ポンポニアヌスと使用人たち、そしてプリニウスの部下たちはとても眠《ねむ》るどころではない。

「海は荒《あ》れていて船を出せないかもしれないし、結局は屋内《おくない》にいる方が安全じゃないだろうか。」

「いや、このままでは家が倒壊《とうかい》するかもしれない。家に閉《と》じこめられる危険性《きけんせい》もある。」

彼《かれ》らはプリニウスを起こして話しあった。そして、一か八か屋外に退避《たいひ》することを決めたのである。

「そろそろ明るくなってもいい時間なのに……。」

頭の上にまくらやクッションをくくりつけた男たちは、真っ暗な空を不安そうに見上げた。周囲《しゅうい》は噴煙《ふんえん》のせいか、よどんだような闇《やみ》に包まれている。

「船が出せるかどうか、海の様子を見に行こう。みんな、頭の上に気をつけるんだぞ。」

プリニウスはたいまつをかかげ、先頭に立って歩き出した。

しかし、海を前にすると……海をわたることなど不可能《ふかのう》なのは、だれの目にもあきらかだった。

「きのうよりも波が荒《あら》い。しかも逆風《ぎゃくふう》ときてる。」

ため息をつくと同時に、プリニウスは激《はげ》しくせきこんだ。火山灰《かざんばい》をふくんだ空気はねっとりとして、いやなにおいがする。みんなも顔をしかめて口をおおっていた。

「とりあえず、帰るしかないな。」

たれこめる闇《やみ》とあせりに包まれ、みんなは散り散りに、今来た道をもどりはじめる。

ところが、家に着いたとたん、プリニウスはふらふらと倒《たお》れてしまったのである。

「プリニウスさん、だいじょうぶですか?」

「ああ……水をくれ。」

プリニウスは弱々《よわよわ》しく言って起き上がり、水を2杯《はい》飲むと、また体を横たえた。

しばらくして。ポンポニアヌス、そしてプリニウスの部下たちは驚《おどろ》きと悲しみの入り混《ま》じった目で、横たわったままのプリニウスをながめていた。

「ケガもしていないし、さっきまで元気だったのに。」

「プリニウスさん、どうして急に……?」

彼《かれ》の心臓《しんぞう》は動きを止めていたのだ。


**プリニウスが亡《な》くなったのは噴火《ふんか》と関係があるのだろうか。**

## 解説《かいせつ》　噴火《ふんか》

これは実際《じっさい》に起こったヴェスヴィオ火山の噴火《ふんか》のエピソードをもとにした話。このとき一昼夜にわたって続いた噴火《ふんか》により、ポンペイ（現在《げんざい》のイタリア）という町が埋《うず》もれてしまったのは世界的に有名な逸話《いつわ》である。

噴火《ふんか》とは、地中のマグマ（溶《と》けた熱い岩）が地上に噴《ふ》き上がる現象《げんしょう》。噴石《ふんせき》（冷えたマグマが固まった岩石）、煙《けむり》、火山灰《かざんばい》がまき散らされる。火山灰《かざんばい》とは、噴石《ふんせき》のごく小さいかけら（直径2ミリ以下）だ。いわゆる「ものが燃《も》えた灰《はい》」とはちがう。そのほか、目には見えない有毒《ゆうどく》な火山ガスも発生する。プリニウスの死因《しいん》は、火山灰《かざんばい》と火山ガスを吸《す》いこんだためと考えられている。プリニウスは喘息《ぜんそく》の持病もあって気管支《し》が弱く、煙《けむり》や火山灰《かざんばい》により窒息《ちっそく》したとする説もある。

噴火《ふんか》が起こったときは、飛んでくる石（火山弾《かざんだん》）から頭や体を守るだけでなく、鼻と口をおおって火山灰《かざんばい》や火山ガスを吸《す》いこまないようにすること。ゴーグルで目も守ったほうがいい。火山灰《かざんばい》はかなり遠くまで飛ぶので、広範囲《こうはんい》で警戒《けいかい》が必要だ。

34

# 教訓

失敗→なぜ？


「おじいちゃん、これが2千年近く昔の都市なんてすごいね！」

ポンペイの遺跡《いせき》を歩きながら、マッテオはバローネ教授《きょうじゅ》の顔を見上げた。バローネ教授《きょうじゅ》は、ポンペイの発掘調査《はっくつちょうさ》に関わる研究者だ。ポンペイは西暦《せいれき》79年に起こったヴェスヴィオ火山の噴火《ふんか》により、噴石《ふんせき》や火山灰《かざんばい》に埋《うず》もれた古代都市である。

「2万人の市民のうち2千人が亡《な》くなり――逃《に》げのびた人々《ひとびと》も、壊滅《かいめつ》したポンペイにもどることはできなかったんだよ。それから長い月日が流れて、発掘調査《はっくつちょうさ》が本格《ほんかく》的に始まったのは18世紀《せいき》なかばのことだ。」

マッテオは不思議そうにクルクル目を動かして質問《しつもん》した。

「この町は全部埋《う》まっちゃってたんでしょ？　だれが遺跡《いせき》を見つけたの？」

「きっかけはこの近くの町で、井戸を掘《ほ》ろうとした農民が大理石の柱を見つけたことだ。この話が広まると、欲《よく》の深いヤツが美術品《びじゅつひん》や宝飾品《ほうしょくひん》など金目のもの目当てに掘《ほ》り返しはじめた。これが問題になって、ポンペイに関する古い文書が注目されるようになって——それで、本格的《ほんかくてき》に発掘《はっくつ》が始まったんだ。」

マッテオは広場に立ち、２千年前にここでくらしていた古代人たちの姿《すがた》を想像《そうぞう》してみる。みごとに復元《ふくげん》された神殿《しんでん》や闘技場《とうぎじょう》、円形劇場《えんけいげきじょう》や大浴場などを見わたしながら。

「大きな建築物《けんちくぶつ》もすごいけど、ふつうの人の生活がわかるのもすごいね。」

「マッテオ、いいことを言うな。さすがは、わたしの孫だ。」

バローネ教授《きょうじゅ》は目を細めて、孫の頭をなでた。当時の庶民《しょみん》の生活の場がありありと見てとれるのもこの遺跡《いせき》の特徴《とくちょう》なのだ。気候は温暖《おんだん》で、活気のある港町。ナポリ湾《わん》に面した土壌《どじょう》は豊《ゆた》かで、作物もよく育ち、ヴェスヴィオ火山のふもとにはぶどう畑が広がっていた。

「その日の昼下がり、突然《とつぜん》に地響《じひび》きと大きな爆発音《ばくはつおん》が鳴り響《ひび》き、ヴェスヴィオ火山から真っ黒な噴煙《ふんえん》が立ち上った。町には火山岩と火山灰《かざんばい》が降《ふ》り注ぎ、この日の夜明けには2メートルも積もっていたそうだ。そして次の日。最初の噴火《ふんか》から19時間後の、何回めかの火砕流《かさいりゅう》（火山灰《かざんばい》と火山岩、火山ガスが混《ま》ざった高温の物質《ぶっしつ》）が町をおそった。そのとき、ポンペイの時間は止まってしまったんだ。」

多くの人でにぎわった市場、ワインが入っていたと思われるたくさんのつぼ、レストランのキッチン、馬車、かまどの中でおいしそうに焼けるパン。

火砕流《かさいりゅう》は、そんな日常《にちじょう》風景をすべてのみこんだのだ。

「これはミイラなの？」

マッテオはおそろしげに、人の形をしたものを指さした。

「いや、これは逃《に》げおくれた人の型《かた》をとった石膏像《せっこうぞう》だよ。発掘調査《はっくつちょうさ》をしたところ、火山灰《かざんばい》の中にたくさんの空洞《くうどう》があった。火山灰《かざんばい》に埋《う》まった人の遺体《いたい》が自然に分解《ぶんかい》されてなくなり、人の形の空洞《くうどう》が残ったわけなんだ。」

「そうだったんだ……。」

マッテオはゴクリとつばをのみこんで石膏像《せっこうぞう》をながめた。バローネ教授《きょうじゅ》はなだめるようにマッテオの肩《かた》をポンポンとたたいた。

「ヴェスヴィオ火山はその後も何度も噴火《ふんか》している。1631年の噴火《ふんか》ではナポリ市が大きな被害《ひがい》をこうむった。このときも4千人あまりの人が亡《な》くなったんだ。もし噴火《ふんか》が起こったら、一刻《いっこく》も早く逃《に》げなくちゃいけないよ。」

マッテオは考えこんだ。

「ヴェスヴィオ火山が噴火《ふんか》したのは、西暦《せいれき》79年が初めてだったの？」

「そうではない。記録では、もっと昔から大規模《だいきぼ》な噴火《ふんか》があったそうだよ。」

「ポンペイの町には住めなくなってしまったけど、2万人の市民のうち9割《わり》の人は逃《に》げられたんだよね。どうして2千人もの人が逃《に》げおくれたの？　それより昔にも噴火《ふんか》があったんなら――ぼくたちみたいに、危険《きけん》だって昔の人から教わることができていたはずなのに。」

バローネ教授《きょうじゅ》は腕組《うでぐ》みをすると、おもむろに口を開いた。

「そうだな。この土地は地震《じしん》も多くて——ポンペイは、滅亡《めつぼう》の17年前にも大地震《だいじしん》におそわれているんだ。逆《ぎゃく》に、大きな地震《じしん》を経験《けいけん》していたことが逃《に》げおくれた理由とも考えられているよ。」

**これほどの激《はげ》しい噴火《ふんか》の中で、2千人もの人がギリギリまで逃《に》げようとしなかった理由はどこにあるのだろうか。**

## 解説《かいせつ》　避難《ひなん》

最初の噴火《ふんか》からポンペイの町が完全にのみこまれるまで約19時間。避難《ひなん》するには十分な時間があったはずだが、2千人もの人が犠牲《ぎせい》になった一因《いちいん》は、17年前に起こった大地震《だいじしん》の記憶《きおく》が影響《えいきょう》したと考えられている。このとき、家の倒壊《とうかい》をおそれて避難《ひなん》した人々《ひとびと》が帰宅《きたく》すると、どろぼうに入られた家が多数あった。この経験《けいけん》から、「災害避難《さいがいひなん》で家を空けたところをどろぼうにねらわれる」と心配して、ギリギリまで避難《ひなん》しなかったり、一度逃《に》げても家にもどって命を落とした人が多かったようだ。万が一のときは、財産《ざいさん》よりも命を第一に考えなくてはいけない。

日本も火山国であり、太古の昔から何度も噴火《ふんか》による被害《ひがい》が生じている。1991年の長崎県《ながさきけん》の雲仙岳《うんぜんだけ》の噴火《ふんか》の際《さい》には、火砕流《かさいりゅう》の危険性《きけんせい》を知らなかった警官《けいかん》や消防団《しょうぼうだん》の人々《ひとびと》も犠牲《ぎせい》になった。常《つね》に最悪の状況《じょうきょう》を想定して行動することを心がけよう。

35

# 5万人の失踪《しっそう》

危険《きけん》→なぜ？


ときは古代。2500年ほど昔のこと。

ペルシア軍、5万の大軍勢《だいぐんぜい》は広大なリビア砂漠《さばく》を横断中《おうだんちゅう》だった。カンビュセス王の命令により、アンモンの町を征服《せいふく》するための行軍である。

カンビュセス王はすでに広《ひろ》い領土《りょうど》を手に入れていた。それでも彼《かれ》は満足することなく、さらに勢力《せいりょく》を広げようと躍起《やっき》になっていたのだ。

しかし、新たな土地にしかけた攻撃《こうげき》は、計画の甘《あま》さから次々《つぎつぎ》に失敗してしまう。

そこで王はアンモン侵略《しんりゃく》に5万人もの兵隊を用意した。あわただしく出発させると

「これで安心」とばかりに、自分は王宮でふんぞり返っていたのである。

ところが、この動きに気づいたアンモン人がいた。旅先から帰る途中《とちゅう》だったアサドは、オアシス（砂漠《さばく》の中の緑地帯）に野営《やえい》しているのはペルシア軍だとすぐにわかった。そして、彼《かれ》らが向かっているのはわが故郷《こきょう》、アンモンだと確信《かくしん》したのだ。カンビュセス王が侵略戦争《しんりゃくせんそう》をしかけまくっているのは知っていたし、かの王がアンモンの神殿《しんでん》をねらっているといういやなうわさを聞いたこともあったからだ。

（早く帰ってみんなに知らせなくては。きたえられた軍人の足なら、あと7日ほどでアンモンに到達《とうたつ》するだろう。あれだけの軍勢《ぐんぜい》にたちうちできる兵力はないが……なんとかしなければ！）

アサドはロバにまたがった。そして、強い南風が吹《ふ》き上げる砂《すな》に体をたたかれながら、ほとんど休むことなく故郷《こきょう》へ急いだのである。

2週間後。兵隊を送ったカンビュセス王はイライラしてどなり散らしていた。

「遅《おそ》すぎる！　とっくに『アンモンを征服《せいふく》した』と報告《ほうこく》が来てもいいはずなのに何

をやってるんだ。アンモンごときの侵略《しんりゃく》に失敗するわけがないのに！」

王の側近たちは「急な命令で水や食料が十分じゃないまま出発したから、砂漠《さばく》の途中《とちゅう》で飢《う》え死にしたんじゃないか」と話し合っていたが、そうだとしても5万人のうちだれ一人帰ってこないのはおかしい。

そこで何人かの家来が軍勢《ぐんぜい》の歩いた道のりを調査《ちょうさ》することになったのだが――彼《かれ》らは帰ってくるとこう言ったのである。

「5万の兵隊は消えてしまいました！　荷物も死体も見つからず――。ええ、見渡《みわた》すばかり砂《すな》だけで、ほかには何もないんです。アンモンの町は平和そのもので、何者にも攻《せ》めこまれていないそうです。」


**5万人の兵隊はいったいどうなったのだろうか。**

## 解説《かいせつ》　砂嵐《すなあらし》

これは、古代の歴史学者《れきしがくしゃ》ヘロドトスが書きのこした不思議な実話をベースにした話。ペルシア軍の5万人の兵隊がこつぜんと消えた理由は、ヘロドトスによれば「突然《とつぜん》吹《ふ》きつけた強い南風によって砂嵐《すなあらし》が巻《ま》き起こり、休憩中《きゅうけいちゅう》だった5万人を生《い》き埋《う》めにしてしまった」とされている。この謎《なぞ》は歴史上《れきしじょう》の大きなミステリーとして議《ぎ》論《ろん》されているが、この地域《ちいき》では南風が巻《ま》き起これば、短時間でオアシスもろとも砂《すな》に埋《う》まってしまう規模《きぼ》の砂嵐《すなあらし》が起こりうるそうだ。

ちなみに、ゴビ砂漠《さばく》では組み合ったままの白亜紀《はくあき》の2頭の恐竜《きょうりゅう》の化石が発見されている。これは格闘中《かくとうちゅう》に砂嵐《すなあらし》に襲《おそ》われて生《い》き埋《う》めになったことが証明《しょうめい》されているという。砂嵐《すなあらし》が恐竜《きょうりゅう》すらも生《い》き埋《う》めにしてしまう威力《いりょく》を持っているなら、5万の軍勢《ぐんぜい》が消えた理由も同じと考えてよさそうである。

# 36

# 大漁

危険《きけん》→なぜ？


ときは1300年代、室町時代。

「いやぁ、あんなすげえ地震《じしん》は生まれて初めてだったな。」

「うちなんか外に飛び出したら、あっという間に家がつぶれちまったんだぜ。」

「おまえの家は、特につくりが雑《ざつ》だったからな。」

久治郎《きゅうじろう》がそう言うと、みんなはゲラゲラ大笑いした。

「まあ、心配するな。つぶれたのはおまえのとこだけじゃない。落ち着いたら、みんなで協力して建て直そう。」

大きな地震《じしん》があったのはついさっきのことだ。まずしい漁村に暮《く》らす彼《かれ》らは、土かべに屋根板を重ね、重しの石を乗せた程度《ていど》の掘《ほ》っ立て小屋のような家に住んでいる。

リーダー格《かく》の久治郎《きゅうじろう》は「とりあえず広いところに避難《ひなん》すべきだ」と考え、仲間たちをひきつれて歩いていた。

「久治郎《きゅうじろう》さん、そろそろ引き返した方がいいんじゃないですかね。」

六太《ろくた》が、久治郎《きゅうじろう》にそっと声をかけたのは、いつのまにかふだんは足を運ばない岬《みさき》の近くに出ていたからだった。

「おっと、うっかりしてたな。うるさいやつらに出くわさないうちに帰るか。」

久治郎《きゅうじろう》たちは、このあたりを漁のなわばりにしている連中ともめたことがある。

ところがそのとき、不意に六太《ろくた》の幼《おさな》い子どもが浜辺《はまべ》にかけ出していった。

「おとっつぁん、おっかさん！　見て！」

子どもは、大きな魚を抱《かか》えている。見ると、浜《はま》にはあっちにもこっちにも魚が打ち上がっているではないか。仲間たちは歓声《かんせい》を上げながら、魚を拾いはじめた。

「こりゃ大漁だ」「持てるだけ持て！　今夜はごちそうだな！」

しかし、大さわぎしたのがまずかった。気配を感じて久治郎《きゅうじろう》が後ろをふり返ると──このあたりの長老である勘助《かんすけ》が血相を変えて走ってきたのだ。

「おい、おまえたち！　魚をとってんじゃねえ！」

勘助《かんすけ》はすごい剣幕《けんまく》で、棒《ぼう》をふり回しながら久治郎《きゅうじろう》たちを追いはらおうとする。

「このバカども！　早く、あっちに行くんだ！」

「けっ、ケチくさいジジイめ。」

久治郎《きゅうじろう》たちはぶつくさ言いながら逃《に》げ出した。その後、勘助《かんすけ》に深く感謝《かんしゃ》することになるとは思いもせずに。


**久治郎《きゅうじろう》たちはなぜ勘助《かんすけ》に感謝《かんしゃ》することになったのだろうか。**

## 解説《かいせつ》　津波《つなみ》の前兆

大きな地震《じしん》の後、この浜辺《はまべ》ではいったん大きく波が引き、魚が打ち上げられていた。勘助《かんすけ》はこれが津波《つなみ》の前兆だと知っていたのである。この後、今度は大きな波が押《お》し寄《よ》せて、浜《はま》のすべてを海にさらっていってしまった。久治郎《きゅうじろう》たちは、勘助《かんすけ》のおかげで命拾いをしたわけだ。

打ち上げられた魚を夢中《むちゅう》で拾っていて、津波《つなみ》にさらわれた記録は古くから残っている。「波が引く」のは、今ではよく知られた津波《つなみ》の前兆だ。しかし、津波《つなみ》にはいろいろなパターンがあることは覚えておいてほしい。引き波がないのに、いきなり高波が押《お》し寄《よ》せることもある。海に近い場所で地震《じしん》にあったら、できるだけ早く、できるだけ高いところに逃《に》げることが鉄則《てっそく》だ。

# 37

# 雪国

## 危険《きけん》→なぜ？

「雪国の冬ってホントにすごいんだな。」

ずっと降《ふ》り続いていた雪が久《ひさ》しぶりにやんだ朝。外の風景は何もかも真っ白な雪におおわれ、太陽の日差しが反射《はんしゃ》してまぶしい。

「びっくりしたでしょ。」

オレが窓《まど》の外を見ていると、マリエがいれたてのコーヒーを持ってきてくれた。

「ああ。でも、これからはオレの故郷《こきょう》にもなる場所なんだよな。」

こう言うと、マリエはうれしそうにほほえんだ。

オレは、マリエと2年前から結婚《けっこん》の約束をしている。お互《たが》い仕事にも慣《な》れてきたし、そろそろ結婚《けっこん》しようと話し合って……マリエの実家にあいさつに来たんだ。

前からマリエが両親に話してくれていたから反対はされなかったけど、お父さんはなんだかオレに冷たい。

父親がかわいい一人娘を手ばなすのはつらいものらしいから、しょうがないか。

「お父さんもコーヒー飲むでしょ？」

マリエがお父さんに声をかけたので、オレも後ろからついていく。お父さんは、コーヒーをほとんど一気に飲みほすと、ジャンパーをはおって言った。

「雪下ろしをしてくる。今日やらないと家がつぶれるからな。」

おっ、これはお父さんと仲よくなるチャンスかもしれない。

「お父さん、ぼく、手伝いますよ。」

「危《あぶ》ないぞ。すべって落ちたら死ぬからな。」

「気をつけます。ずっとラグビーをやっていたので足腰《あしこし》には自信があるんです！」

オレははしごをかけた屋根に上り、ラッセル（雪かき用のシャベル）で雪を下ろすように言われた。屋根の上にはなんと1メートル半くらいの雪が積もっている。

しかし、雪って重い。

ほっといたら家がつぶれるっていうのは大げさじゃないんだなぁ。

足をすべらせないよう気をつけながら、ラッセルで雪を落とすと――。

「こら、となりの家の敷地《しきち》に雪を落とすなよ！」

下からお父さんのどなり声が飛んできた。

しまった。どこもかしこも真っ白だからいいかと思ったけど。

よく見るとオレが雪を投げ落としたのは、となりの家の車の上だった。

「積もった雪の下の方は重みでしまって固くなってるんだ。屋根から落ちた雪で、ガラスが割《わ》れることもあるんだぞ。」

「すみません！」

そこで、次は家の真下に落とすと。

「うわっ！」

やばい。お父さんの上に落としちゃった！

「オレがいるところに落とすなよ！」

あーあ、仲よくなるどころか、減点《げんてん》ばっかりだ。

今度こそ、下に気をつけて雪を落としたんだけど……。

「おい、ここは裏口《うらぐち》のドアの前だ。ドアが開かなくなっちまうだろう。少しは頭を使えよ。」

ついにお父さんは、はしごを上ってきた。

「もういい。雪下ろしはオレがやる。あんたは下に降《お》りて、家のまわりの雪かきをやってくれ。」

「はい、わかりました！」

オレはそろそろとはしごを降《お》りた。

どうしようもない役立たずと思われただろうな。

汚名返上《おめいへんじょう》しなくちゃ。

地上に降《お》りればこっちのもんだ。オレは猛烈《もうれつ》なスピードで雪かきしまくった。玄《げん》関前《かんまえ》は避《さ》け、なるべく日が当たるところに雪を集める。

屋根から落とされる雪もどんどん運ぶ。家のまわりの、雪で隠《かく》れていたレンガの石だたみが見えるようになった！

オレは完璧《かんぺき》だと思ったんだが。

お父さんは、上からオレを見下ろして言ったんだ。

「あんた、オレを殺《ころ》す気か⁉」


**主人公は、石だたみが見えるほど完璧《かんぺき》に雪を片《かた》づけた。お父さんはなぜこんなことを言ったのだろうか。**

## 解説《かいせつ》　雪下ろし

屋根の雪下ろしは慣《な》れた人でも危険《きけん》で、転落事故《てんらくじこ》はあとを絶《た》たない。屋根から落ちると、打ちどころが悪ければ死んでしまうこともある。だから、落下したときクッションになるように少し雪を残しておいた方がいいのだ。もっとも、この場合はあらかじめ教えてあげなかったお父さんが悪い。あとでお父さんは「雪下ろしのポイントを先に教えてあげなくちゃ」とマリエやお母さんに怒《おこ》られて、「大人気《おとなげ》なかった」と主人公にあやまったのである。

雪下ろしのときの注意点は、以下の通り。作業は2人以上で、はしごを支《ささ》えたり安全確認《あんぜんかくにん》しながら行う。1人で行う場合はすぐ助けを呼《よ》べるよう携帯電話《けいたいでんわ》を身につける。下に通行人がいないか注意する。靴《くつ》やはしごにすべりどめをつけたり、命綱《いのちづな》を用意する。

近年は、屋根に上らなくても雪を下ろせる道具や、屋根の雪をとかす設備《せつび》などの開発も進んでいる。それでも、大量の雪を扱《あつか》う作業はとても危険《きけん》なものである。

# 38

# リーダー面《づら》のあいつ

## 危険《きけん》↓対処《たいしょ》？

となりのクラスとのサッカーの対抗戦《たいこうせん》に逆転勝利《ぎゃくてんしょうり》して……ホントならもっといい気分のはずなんだけど。

学校からの帰り道、オレは苦い気持ちでいっぱいだった。

オレのミスのせいで、一時は負けるかと思ったからな。あのパスにサクヤが追いついてくれてりゃよかったのに。あいつくらいうまかったら、取れてたんじゃないか？

もしかして、わざと……？　いや、まさかそこまではしないか。

オレはサクヤをライバル視《し》してるけど、サクヤはそれほどオレを意識《いしき》してないのかもしれない。それはそれで、またムカつくな。

「サクヤくんの逆転《ぎゃくてん》シュート、ホントすごかったよねぇ。」

モトキはまだ興奮《こうふん》した顔で、さっきから同じことをくり返してる。モトキはオレのとなりの家の子で2つ年下の4年生だ。オレが活躍《かつやく》するところを見に来たはずが、すっかりサクヤのファンになったらしい。

「タツヒコのセンタリングがよかったからだよ。」

と、サクヤはすかさずオレを持ち上げる。こういうところも腹《はら》が立つんだよ。よゆうたっぷりでさ。


「あ、雨だ。」

公園にさしかかったとき、急にポツポツきたかと思うと。

大つぶの雨がバラバラと音を立てはじめた。

灰色《はいいろ》の雲を切りさくような青白い稲妻《いなずま》が走る。

「うわ、光った！　こえぇ〜！」

モトキがこうさけんですぐ、ものすごい音が鳴り響《ひび》いたんだ。

「光ってすぐに音が鳴ったから、これは近いぞ。」

サクヤが言った。けっ。だれだってそのくらい知ってるってば！

オレは「あそこに避難《ひなん》しようぜ」と言うといち早くかけ出し、高い木の下に陣《じん》どった。葉っぱがかなり茂《しげ》っているから、雨もけっこうしのげる。

すると、サクヤがオレの腕《うで》を強く引っぱった。

「タツヒコ、木の真下はダメだよ。高い木には雷《かみなり》が落ちやすいんだ。木の幹《みき》からは4メートル以上、枝《えだ》や葉からは2メートル以上はなれるのが安全なんだ。それから、しゃがんで。なるべく姿勢《しせい》を低くすること。雷《かみなり》は高いものに落ちるから。」

「サクヤくん、これでいいの？」

モトキは、サクヤの言った通りに木から距離《きょり》をとってしゃがみこんでいる。

「そう。できるだけ前にかがんで小さくなって。両足のかかとをくっつけて、つま先立ちになるんだよ。」

しゃがんでつま先立ちになると、グラグラしてしまう。

「姿勢《しせい》を低くするなら、寝《ね》そべったらいいんじゃね？　どうせずぶぬれだし。」

いいアイディアだと思ったんだが、サクヤはきびしい顔で言った。

「いや、地面にふれる体の面積はできるだけ少なくしたほうがいいんだ。落雷《らくらい》した場合、地面を電流が伝わってくる可能性《かのうせい》があるからね。つま先立ちにするのは、地面との接触《せっしょく》を減《へ》らすためなんだ。」

ふん。リーダー面《づら》しやがって。

モトキもいちいちサクヤの顔ばっか見てさ。ちょっとはオレを頼《たよ》れよ！

そのとき。

バリッバリバリ……ド！　ドガシャーン！

また落ちた！

「うわあぁぁぁ！」

モトキは真っ青な顔でガタガタふるえている。

「だいじょうぶだよ。ちょっとガマンすればおさまるって。」

モトキの肩《かた》を引き寄《よ》せておおいかぶさるようにすると、モトキは「ありがとう」

と言って目で笑った。

ところが、サクヤはいきなりモトキをオレから引きはなしたんだ。

そして、「モトキ、あっちへ走れ！」と方向を指示《しじ》すると、自分も走り出す。

え。なんなんだよ……。

2人で安全なところに避難《ひなん》する気か？　オレは？

「待ってくれ！」

オレが追いかけると、サクヤはふり向いてどなったんだ。

「ついてくるな！　おまえはそこにいろ！」


**サクヤは落雷《らくらい》を心配している。なぜ、主人公には「ついてくるな」と言ったのだろうか。**

## 解説《かいせつ》　雷《かみなり》の側撃《そくげき》

屋外にいて雷《かみなり》が近づいてきたとき、大きな木の下に避難《ひなん》するのはまちがいだ。近くに建物があれば、屋内《おくない》に入るのが一番。電車やバスなど乗り物の中も安全だ。大きな木があれば、サクヤの言うように「木の幹《みき》から4メートル以上、木の枝《えだ》や葉から2メートル以上はなれてしゃがむ」のが正解《せいかい》。

これは「側撃《そくげき》」を避《さ》けるため。木に落雷《らくらい》した場合、木から電流が人間に飛んできて感電する危険《きけん》がある。人間の体は水分が多いので電流を通しやすいのだ。

サクヤが、モトキを主人公から引きはなして別の方向へ走らせたのはこうした理由からである。万が一、だれかが感電した場合、近くにいる人間に電流が飛んでくる。心細いけれど、人とできるだけ距離《きょり》をとる方が安全なのだ。

雨が降《ふ》っていると、建物の軒下《のきした》で雨宿りをしたくなるがこれもダメ。雷《かみなり》が建物に落ちたら、その壁《かべ》から電流が飛んでくる可能性《かのうせい》がある。水は電気を通しやすいので、海やプールにいたらすぐに上がって、建物の中に入ること。

# 39 明るいキミ姉ちゃん

失敗→なぜ？


「だいじょうぶだって。はい……倒《たお》れた棚《たな》には絶対《ぜったい》さわりません。そのままにしとくから……まかせてよ。あたしだって二十歳《はたち》のりっぱな大人なんだから。タツくんとヒロカちゃんはちゃんとあたしが守ります！　じゃあね。」

いとこのキミ姉ちゃんは、電話を切るとふり向いてニコッと笑った。

オレと妹のヒロカは、夏休みでZ《ゼット》県のおじさん、おばさんの家に泊《と》まりがけで遊びに来ている。おじさんとおばさんは結婚式《けっこんしき》に出席するために出かけたんだけど、その間に大きな地震《じしん》が発生。電車が動かず、今夜は帰れなくなったという。

いやぁ、こわかったな。震度《しんど》6の地震《じしん》は初めてだ。

本棚《ほんだな》が倒《たお》れたり、高いところにあったものが落ちたりしたけど、幸いだれもケガはしなかった。だけど、停電《ていでん》っていうのはいやだね。この暑さでエアコンが使えないのはしんどい。


ともかくオレがしっかりしないと！

キミ姉ちゃんは、ものすごいおっちょこちょいなんだ。砂糖《さとう》と塩をまちがえるレベルの。しょっちゅう何かぶちまけたりこぼしたりするし、よく転ぶし。

キミ姉ちゃんは、オレの心中も知らずにはりきっている。

「2人ともおなかすいたでしょ？　カレーあるよ」と、冷蔵庫《れいぞうこ》から大きなタッパーを出してきた。

「キミ姉ちゃん、停電《ていでん》してだいぶ時間たってるよね。だいじょうぶかな？」

タッパーを開けると、カレーの上のほうに分離《ぶんり》した水が浮《う》かんでる。これは腐《くさ》りかけてる証拠《しょうこ》だ。

「ホントだ。これダメだ、捨《す》てなくちゃね！　タツくん、しっかりしてる！」

キミ姉ちゃんはケラケラ笑ってるけど、笑いごとじゃないよ！　そもそも電子レンジも電気ケトルも使えないことを指摘《してき》して――。カセットコンロを見つけ出してお湯をわかし、どうにかカップめんにありついた。キミ姉ちゃんは「あーあ、ダイエット中なのになぁ」なんて言いながら、「ドデカ爆盛《ばくも》り豚骨《とんこつ》ラーメン」をペロリとたいらげている。

早く停電《ていでん》が復旧《ふっきゅう》してくれないかなと思っていると、ヒロカがめそめそ泣き出した。外がうす暗くなってきて心細くなったらしい。

「キミ姉ちゃん、懐中電灯《かいちゅうでんとう》ない？」

キミ姉ちゃんはランタン型《がた》の大きな懐中電灯《かいちゅうでんとう》を持ってきたが、電池が切れている。運悪く予備《よび》の電池をしまってある棚《たな》が倒《たお》れていて、取り出せない。

「こんなときのためにね……。」

キミ姉ちゃんは、「災害時《さいがいじ》のお役立ちハンドブック」という本を持ってきた。ページをめくると「あった！」とうれしそうな声をあげ、いきなりキッチンの蛍光《けいこう》灯《とう》をぬきとった。

「前に読んだことあってね。静電気を集めて蛍光灯《けいこうとう》を光らせる方法があるんだよ。」

オレも本をのぞきこむ。

「これ、いろんな道具がいるよ。塩化ビニール製《せい》のパイプなんてないでしょ？」

「ダメかぁ……。」

キミ姉ちゃんはしょんぼりしたが、またすぐにページをめくって明るい声を出す。失敗してもヘコまないのはキミ姉ちゃんのいいところだ。

「これならできそうだよ。ツナ缶《かん》をキャンドルがわりにするってやつ。」

キミ姉ちゃんは、台所からいくつかツナ缶《かん》を持ってきた。１つの缶《かん》で1時間くらいもつらしいから、これだけあれば安心だ。

「こないだママとスーパー行ったとき、特売でさ。あたしのお弁当《べんとう》のツナサンド用に買ってもらったんだ。」

やり方はこうだ。缶《かん》の真ん中に、缶切《かんき》りで小さい穴《あな》を開ける。ちり紙をねじってこよりを作り、穴《あな》にグッとさしこむ。こよりに油がしみこむまで少し待ってから、缶《かん》からつき出たこよりにライターで着火！

本に書いてある通りにやったのに……火はつかない。

「あーあ。この本、インチキなんじゃない⁉」

キミ姉ちゃんもさすがにがっかりしたようだけど。

オレは原因《げんいん》に気づいた。キミ姉ちゃんのおっちょこちょいぶりはやっぱり筋金入《すじがねい》りだ！


**ツナ缶《かん》のキャンドルがつかない理由はなんだったのだろうか。**

## 解説《かいせつ》　ツナ缶《かん》キャンドル

火がつかなかった理由はツナ缶《かん》が油漬《あぶらづ》けタイプではなく、水煮《みずに》のツナ缶《かん》だったから。キミ姉ちゃんはダイエット中なので、わざわざ水煮《みずに》を選んだことをすっかり忘《わす》れていたのだ。このあと、油漬《あぶらづ》けのツナ缶《かん》を探《さが》し、無事に火を灯《とも》すことに成功した。

ツナ缶《かん》をキャンドル代わりにするのはよく知られた方法だ。保存《ほぞん》のきく非常食《ひじょうしょく》でもあり、こんな形でも利用できるとは一石二鳥。火がつかない場合は、こよりの太さを変えてみるなどしてみよう。コツが必要なのでいざというときのために、一度実験しておくといい。ただし、余震《よしん》のあるときにツナ缶《かん》キャンドルやロウソクを使う場合は、火のそばに必ずだれかいるように。揺《ゆ》れが来たら大きい缶《かん》や丼《どんぶり》などをかぶせてすぐ消せるようにしておこう。使ったツナ缶《かん》は、食べることができる。

地震《じしん》や台風のとき、停電《ていでん》して真っ暗だと気持ちも不安になる。また、避難《ひなん》するなど行動しなければならないときに、真っ暗では危険《きけん》だ。懐中電灯《かいちゅうでんとう》や電池はふだんから手に取りやすいところに置いておこう。

40

# 5月1日

## 危険《きけん》↓なぜ?

5月1日。どこまでも、海。

海水浴で海に行ったときとはちがって見える。

空は青くすみわたり――と言いたいところだが、早朝なんでまだかなり暗い。

「中学生になったら漁船に乗せてくれる」という約束をじいちゃんは守ってくれた。

じいちゃんは漁師《りょうし》の親方だ。オレは小さいころから、大きくなったらじいちゃんみたいにカッコいい漁師《りょうし》になるって決めてるんだ。

ぼんやり海をながめてたら、じいちゃんにこづかれた。

「いいか、海の上にはさまざまな危険《きけん》がある。船ではじいちゃんのそばからはなれず、ジャマにならないように機敏《きびん》に動くこと。あいさつ、返事は欠かさず大きな声ではっきりと。まわりの人が何をしてるかよく見て、自分で学び取ろうとすることと。以上！」

獲物《えもの》を引きあげるのもワクワクするけど、操舵室《そうだしつ》もテンションが上がる。舵《かじ》をにぎってるじいちゃん、キマってるなぁ。なんだかわからないメカがいっぱいあって、そのすみっこにオレがあげたお守りがぶら下がってるのがうれしかった。

そのとき、「船長、来てください！」と漁師《りょうし》さんの声がした。

「おい、ちょっとここにいろ。何にもさわるなよ！」

じいちゃんが出ていき、1人で取り残されると、自分が船長になったような気分になる。舵《かじ》にさわってみたいけど……いやガマンガマン。手を後ろに組んで計器をじっとながめてたら、不意に無線機から雑音混《ざつおんま》じりに声が聞こえてきた。「メーデー、メーデー、メーデー」と。

メーデー？　あ、そうか。今日、5月1日は「メーデー」っていって……たしか労働者の祭典の日だっけ？　だれかがあいさつしてきたのに、無視《むし》しちゃっていいのかな？　同じように言い返したほうがいいのかな？

迷《まよ》ってるところにじいちゃんがもどってきたんで、報告《ほうこく》すると。

じいちゃんは顔色を変えて無線機にかじりついたり、甲板《かんぱん》に出たり、みんなが走り回ったり、しばらく大騒《おおさわ》ぎだった。

なんてことないあいさつだと思ったけど、実はそうじゃなかったんだ。

もし、うっかりじいちゃんに伝えるのを忘《わす》れたらと思うとゾッとするね。


**主人公が聞いた無線の相手は、何を伝えていたのだろうか。**

## 解説《かいせつ》　救難信号《きゅうなんしんごう》

「メーデー」という言葉は、救難要請《きゅうなんようせい》の発信に使われる世界共通の言葉だ。フランス語の「ヴネ・メデ（助けに来て）」が語源《ごげん》で、「メーデー　メーデー　メーデー」と3回くり返す。主に航空機《こうくうき》や船舶《せんぱく》の操縦士《そうじゅうし》が、さし迫《せま》った緊急事態《きんきゅうじたい》のときのみ使うもので、不用意に口にしてはならない。主人公が聞いたのは、海底火山の噴火《ふんか》にあい、危機《きき》におちいった船から発信された無線通信だったのだ。

よく知られる救難要請《きゅうなんようせい》の用語に「SOS《エスオーエス》」があるが、これは主にモールス信号で使うものだ（8話参照）。声による救難要請《きゅうなんようせい》では「メーデー」を3回くり返した後に、送信者のコールサイン、場所、状況《じょうきょう》などを伝える。

ちなみに、5月1日は「メーデー（May day）」（英語）という労働者のための国際的《こくさいてき》な記念日。この日は世界各国で労働者の集会、祭典などが行われ、祝日としている国も多い。どちらの「メーデー」も世界共通語なので、覚えておいて損《そん》はない。

# 41 ガラスの器《うつわ》

## 危《き》険《けん》↓逆《ぎゃく》転《てん》？

ヨシノがオフィスのろうかを急ぎ足で歩いていくのが目にとまると、後輩《こうはい》のミキは首をかしげてかけ寄《よ》った。

「ヨシノ先輩《せんぱい》、今日お休みとるはずでしたよね？」

「そうだったんだけどね。昨日、課長が盲腸《もうちょう》で入院しちゃって。課長が出るはずだったZ《ゼット》社との会議に出てくれないかって頼《たの》まれちゃったんだ。代わりになれそうなのってわたししかいないし……。まあ、会議が終わったらすぐ帰るけどね。」

ヨシノは苦笑して言った。

「でも、ギャラリーの方はだいじょうぶなんですか？」

今日は、ヨシノが初めて開く個展《こてん》の初日なのだ。

金曜から月曜までの4日間、ギャラリーを借りて、趣味《しゅみ》で作ってきたガラスの器《うつわ》を展示《てんじ》し、気に入ってくれた人には販売《はんばい》することになっている。

「じつは、ギャラリーの近くにおばが住んでてね。今日だけ留守番《るすばん》をお願いしたら、二つ返事でOK《オーケー》してくれたんだ。」

「よかったですね。わたしも明日、見に行きますから。楽しみにしてまーす。」

ミキは明るく言うと、歩き去っていった。

しかし、ヨシノは内心、心配していた。

(やっぱりリツコおばさんに頼《たの》まなきゃよかったかなぁ。でも、ほかに急に頼《たの》める人いなかったし。)

リツコおばさんは世話好きで……だからこそ店番を引き受けてくれたわけだが、いささかおせっかいなところがある。

昨日の晩《ばん》、説明しておくことがあるのでリツコおばさんに来てもらったのだが。

彼女《かのじょ》がやる気まんまんすぎて、ヨシノは少しこまってしまったのだ。

ギャラリーに備《そな》えつけの台の上に白い大理石のボードをしき、ガラスのコップやお皿を並《なら》べていると、「なんだか地味ねぇ。もっと華《はな》やかに飾《かざ》りつけたほうがよくない？」とか「こう並《なら》べた方がいいわよ」などとよけいな口出しをしてくる。

気に入ったお皿を手にして、「これは私《わたくし》の一番のオススメとして絶対《ぜったい》に売ってみせるからね」と鼻息を荒《あら》くしているので、きげんを損《そこ》ねないように「いろんな人に見てもらうことが目的だから、がんばって売る必要はないのよ」と説明したけれど、ちゃんと理解《りかい》してくれたかどうかあやしいものだ。

帰りがけにリツコおばさんは「手織《てお》り布《ぬの》のクロスと、紅茶《こうちゃ》とクッキーを持ってきてお客様をおもてなしする」と言い出して――これを断《ことわ》るのも、またひと苦労だった。リツコおばさんは、めちゃくちゃ少女趣味《しゅみ》なのだ。カントリー風のクロスやピンクのバラのティーセットなど持ちこまれたら、ヨシノのガラス作品のクールな雰《ふん》囲気《いき》がぶちこわしになってしまう。

（来てくれた人に失礼なことしてなければいいなぁ。まぁ、初日とはいっても金曜日だし、昼間から来る人はあまりいないだろうけど……。）

会議はスムーズに進行し、予定よりも早く終了《しゅうりょう》した。

(これからギャラリーに向かえば、5時半には着く！　仕事帰りに立ち寄《よ》ってくれる人が来るのにちょうど間に合うな。)

ところが、ヨシノがホッとして立ち上がったとき……机《つくえ》の上のコーヒーカップがカチャカチャと音を立てはじめたかと思うと、大きな揺《ゆ》れが起こったのだ。

「地震《じしん》だ！　みんな、机《つくえ》の下に入れ！」

会議室にいた人たちはすばやく机《つくえ》の下に入って身を守った。


「けっこう大きい地震《じしん》だったね。震度《しんど》5くらいはあったんじゃない？」

「あ、危《あぶ》ないよ。カケラにさわらないで！」

ヨシノがぼんやりと割《わ》れたカップの破片《はへん》に手をのばすのを、だれかの声が制《せい》した。

ヨシノの頭は、ガラス器を並《なら》べたギャラリーがどんなありさまになっているかでいっぱいだった。

（あたしって、なんて運が悪いんだろう。初個展《はっこてん》の日に地震《じしん》が起こるなんて。きっと床《ゆか》に落ちてめちゃくちゃに割《わ》れてるよね……。）

ヨシノは自分の不運をのろった。

しかし、ギャラリーに電話をしてみると、リツコおばさんはケロリと「ひとつも割《わ》れてないけど？」と答えたのである。

そしてヨシノは……リツコおばさんが留守番《るすばん》を引き受けてくれたことを、心から感謝《かんしゃ》したのだった。


**机《つくえ》からコーヒーカップが落ちて割《わ》れるほどの地震《じしん》が起こった。ギャラリーも同じ程度《ていど》の揺《ゆ》れに見舞《みま》われたのに、なぜガラス器は無事だったのだろうか。**

## 解説《かいせつ》　地震対策《じしんたいさく》

それはリツコおばさんのおせっかいのおかげである。前日に「ギャラリーが地味だ」と感じたリツコおばさんは、ヨシノに断《ことわ》られたにもかかわらず、自作の手織《てお》り布《ぬの》のクロスを持ってきてガラス器の下にしいたのである。

大理石の上にガラス器をのせていたら、ただでさえすべりやすいので震度《しんど》5くらいの揺《ゆ》れでは全部床《ゆか》に落ちて割《わ》れてしまった可能性《かのうせい》が高い。しかし、1枚《まい》「摩擦《まさつ》」が生じる布《ぬの》などをしくだけで、すべり落《お》ちるのを防《ふせ》ぐことができる。こうして、ヨシノはリツコおばさんの勝手な行動に深く感謝《かんしゃ》することになったのである。

例えば、電子レンジの下にすべり止めマットをしく。食器棚《しょっきだな》の中の重ねたお皿の間にキッチンペーパーをはさむだけでも、摩擦《まさつ》によって動きにくくなる。

大きな地震《じしん》はいつ起こるかわからない。日ごろから被害《ひがい》を最小限《さいしょうげん》にするための対《たい》策《さく》をしておこう。

42

# 優《ゆう》秀《しゅう》な同《どう》僚《りょう》たち

危《き》険《けん》↓対《たい》処《しょ》？


ついにあたしは憧《あこが》れのチームの一員になる……！

今日は転職《てんしょく》1日目。

雑居《ざっきょ》ビルの4階に居《きょ》を構《かま》えるこのデザイン事務所《じむしょ》は、広告業界《こうこくぎょうかい》では有名な存在《そんざい》なんだ。

社長以下、新人のあたしを入れて全7名と人数は少ないけど、「少数精鋭《しょうすうせいえい》」で優《ゆう》秀《しゅう》な人材だけを集めてる。

社長のコニシさんはじめメンバー6人はみんなオシャレで、キリッとしていて見るからに頭がよさそう。

ついていけるか心配だけど、がんばらなくちゃ。

ランチは全員であたしの歓迎会《かんげいかい》をしてくれた。みんな、いい人そうでよかった
……と、安心した矢先。

オフィスに帰ってくると、大きな揺《ゆ》れが起こったんだ。

「キャーッ！　やだ、こわい！」

「ナカタさん、だいじょうぶよ。落ち着いて。」

デスクの下に入りながら、となりの席のマエノさんが声をかけてくれた。

大さわぎをしたのはあたしだけで、ちょっとはずかしかった。

揺《ゆ》れがおさまると、みんなは「今の震度《しんど》5だったらしいよ」「なんか、地震《じしん》にも慣《な》れたよね」なんて言って、たんたんと仕事を始めてる。

みんな冷静だなぁ。


気をとり直し、仕事に集中しようと努めたけど気が気じゃない。

ふと窓《まど》の外を見て、あたしは思わず立ち上がった。窓《まど》にかけ寄《よ》ると。

煙《けむり》が流れてくるのが見える。どこか、近くの建物が火事になったみたい！

窓《まど》にはりついてたら、いつのまにかみんなも後ろから見ていた。

「どこだろう？　となりのとなりかな。１階のレストランかも。」

「さっきの地震《じしん》のせいだよね。あ、消防車《しょうぼうしゃ》が来た。」

これって避難《ひなん》しなくていいのかなって思ったけど。みんなはまったく心配してない様子。さわぐほどの状況《じょうきょう》じゃないのかな。あたしだけ、小心者すぎ？

席にもどってパソコンに向かったけど。やっぱり無理！

笑われようが、クビになろうがしょうがない。

あたしはカバンを持って立ち上がり、言い放つ。

「勝手にすいません！　自主避難《ひなん》します！」

戸口に向かうと……驚《おどろ》いたことに全員があたしの後についてきたんだ。

ここは４階だけど、万が一のことを考えてエレベーターじゃなくて階段《かいだん》を使うことになった。

早足で階段《かいだん》を降《お》りながら、気づいたことがあった。あたしたちのほかに、だれもいない。つまり、このビルの人たちはとっくに逃《に》げ出してるんだよね？

1階に着いたとき、ろう下はかなり煙《けむり》にまかれていた。

「姿勢《しせい》を低くして、煙《けむり》を吸《す》わないようにするんだ！」

服やハンカチで口をおおって、なんとか全員無事に脱出《だっしゅつ》できた。

外に出ると、熱い！

煙《けむり》とヒラヒラ飛んでる灰《はい》で目が痛《いた》い！

マエノさんと手をつないで、安全なところまで走って。

ふり返ったとき、恐《おそ》ろしさで腰《こし》がぬけそうになった。燃《も》えさかる火は、あたしたちのビルに迫《せま》ろうとしていたんだ。


「ぼくたちが助かったのはナカタさんが避難《ひなん》するって言ってくれたおかげだよ。」

「いい判断《はんだん》だったよ、ホントにありがとう！」

みんなが、しきりにあたしをほめてくれたけど。

あたしはキツネにつままれたような気持ちだった。
なんでみんなは逃《に》げようとしなかったのかな。
それなのに、あたしが立ったらすぐにあとをついてきたのはなぜなんだろう？

**みんなは、火事だとわかっていても逃《に》げようとしなかった。だが、主人公が逃《に》げようとすると急に迷《まよ》わずあとをついてきたのはどんな心境《しんきょう》のためだったのだろうか。**

## 解説《かいせつ》　正常性《せいじょうせい》バイアス／集団同調性《しゅうだんどうちょうせい》バイアス

主人公の同僚《どうりょう》たちは冷静に見えて、じつはそうではなかった。非常事態《ひじょうじたい》に対し「たいしたことないといいな」と思う願望が、「自分はだいじょうぶなはず」という思いこみになる。こうした心理を「正常性《せいじょうせい》バイアス」という。「バイアス」とは、「先入観、かたより」という意味だ。

また、彼《かれ》らは「集団同調性《しゅうだんどうちょうせい》バイアス」にもおちいっていた。これは、集団《しゅうだん》でいるときに、周囲《しゅうい》の人の行動に自分を合わせてしまう心理。判断《はんだん》がつかないとき、周りの人の出方をうかがってしまうことがあるだろう。「自分だけまちがいたくない」という気持ちが無意識《むいしき》に働くためだ。この2つのバイアスは、人間の心に過度《かど》なストレスをかけない「心を守る」仕組みでもある。この話のケースでは主人公が思い切って避難行動《ひなんこうどう》をとったおかげで、かたまっていた同僚《どうりょう》たちもあとに続き、無事に避難《ひなん》できた。年上で優秀《ゆうしゅう》な人の行動がいつも正解《せいかい》とは限《かぎ》らない。災害《さいがい》が起こったときは事態《じたい》をあまく見ず、避難《ひなん》の最初の一歩をふみ出す人になろう。

# 43

# 退屈《たいくつ》な日曜日

## 危険《きけん》↓なぜ？

日曜日。ぼくは家に1人でいて、退屈《たいくつ》していた。ちょっと駅前の本屋にでも行こうかな、なんて思ってたのに外がうす暗くなってきた。雨が降《ふ》り出《だ》しそうだ。

そういえば、ママに「日がかげったらふとんを取りこむように」って言われてたのをすっかり忘《わす》れてた。

ベランダに出ると、ちょうどすごい音を立てて雨つぶが落ちてきた。ギリギリセーフ。ふとんに顔をつっこむようにしてかかえると。

コツン、と頭に何かが当たった。

なんだ？

ふとんを部屋に投げこみ、ベランダの方をふり返って驚《おどろ》いた。

雨じゃない。氷が降《ふ》ってる！

ベランダには氷のかけらがどんどんたまってきた。おはじきくらいのちっちゃいのもあれば、もっと大きいのもある。これが雹《ひょう》ってやつか、初めて見た！

さあ、おもしろいことになった。ぼくは急いで残りのふとんをひきずりこむと、部屋を飛び出してマンションのエレベーターに走った。


外を歩いている人も、みんな空を見上げてる。ゴルフボールくらいの大きい雹《ひょう》が転がってたんで、拾いに行こうとしたら。

「危《あぶ》ないよ、すぐに家にもどりなさい！」

同じ階に住んでるタニムラさんのおじさんに怒《おこ》られちゃった。なんだよ、自分だって見物に来てるくせに。郵便箱《ゆうびんばこ》の中身をチェックするふりをしながら横目で見てたら、おじさんは続けて言った。

「竜巻注意情報《たつまきちゅういじょうほう》も出てるんだ。すぐに中に入って！」

「竜巻《たつまき》」と聞いた瞬間《しゅんかん》、ぼくは「わかりました」と素直《すなお》に返事をしてエレベーターに向かった。だって、竜巻《たつまき》を見るなら高いところのほうがいい。うちは5階だから、見物するにはぴったりだろう。

うちにもどるとぼくは窓《まど》にはりついて、スマホをかまえた。

いやぁ、ぼくは本当にバカだった。「動画をネットにアップしたら有名人になれるかも」なんて思ってたことを心の底から反省した。ひとつまちがったら死んでたかもしれないんだからね。


**主人公は屋内《おくない》にいたのに危険《きけん》な目にあったらしい。いったい何があったのだろうか。**

## 解説《かいせつ》　竜巻《たつまき》

主人公が窓《まど》にはりついて待っていると、やがて竜巻《たつまき》が発生。なんと窓《まど》に向かって大きな看板《かんばん》が飛んできて窓《まど》ガラスをつき破《やぶ》ったのだ。主人公は投げ出してあったふとんに飛びこみ、幸いにも軽傷《けいしょう》ですんだが、おおいに反省したのである。

竜巻《たつまき》は、大きく発達した積乱雲《せきらんうん》にともなう上昇気流《じょうしょうきりゅう》によって発生する。直径数十メートル、大きなものでは直径1キロ以上の規模《きぼ》にも。渦《うず》の中心では猛烈《もうれつ》な風が吹《ふ》き、短時間でせまい範囲《はんい》に集中して大きな被害《ひがい》をもたらす。

最大レベルの場合、家はバラバラに吹《ふ》き飛び、車さえ巻《ま》き上げる。屋根がわらが飛ばされたり、大木や電柱が倒《たお》れるケースもある。飛来物が窓《まど》を破《やぶ》って飛びこんでくる危険《きけん》があるので、家の中にいても安全ではない。屋内《おくない》では窓《まど》とカーテンを閉《し》めて、なるべく窓《まど》からはなれる。屋外にいる場合はがんじょうな建物の物陰《ものかげ》に隠《かく》れ、かがんで頭と首を守る。電柱や太い木も倒《たお》れる可能性《かのうせい》があるので近づかないことだ。

## 44

# 少年探偵《たんてい》ポロロと無人島

## 危険《きけん》→対処《たいしょ》？

浜辺《はまべ》の奥《おく》には緑のジャングルが広がるばかり。ときおり頭の上から鳥の鳴き声がするくらいで、人が暮《く》らしている気配はない。

どうやら、ぼくらが漂着《ひょうちゃく》したのが無人島であるのはまちがいないようだ。

昨晩《さくばん》のこと。天才少年探偵《たんてい》であるぼくと助手のアーサーは世界的犯罪者《はんざいしゃ》・怪人《かいじん》99面相の動向をつかみ、彼《かれ》の船に潜入《せんにゅう》した。国際警察《こくさいけいさつ》と連携《れんけい》し、99面相を逮捕《たいほ》したままではよかったのだが――ぼくとアーサーは高潮《たかしお》で荒《あ》れ狂《くる》う海につき落とされた。

投げこまれた救命《きゅうめい》ボートにしがみついたもののボートは波にもまれ、あっという間に遠くに運ばれてしまったのである。

2人とも生きて島に流れ着いたのは奇跡的《きせきてき》といえるだろう。

島に着いて早々《そうそう》に、ぼくらはジュラルミンの大きなトランクを見つけた。

「もしかして、金銀財宝《ざいほう》の入った宝箱《たからばこ》かも？」とアーサーは喜《よろこ》んだが――。

中身は財宝《ざいほう》ではなかったが、ぼくらにとっては何より価値《かち》あるものだった。

毛布《もうふ》とタオル、鍋《なべ》が2つにヤカン、コップや皿などの食器等々《とうとう》……。

「今、人が住んでいる気配はない。つまり、アーサー、これが意味するのはなんだと思う？」

「難船《なんせん》して、この島に流れ着いた人がいたってことだね。」

「そうだな。その人たちが生きて島を脱出《だっしゅつ》したか、この島で一生を終えたかはわからないがね。」

こう言うと、アーサーは青くなってブルブルふるえた。おっと、こんな事態《じたい》のときにこわがらせるのはよくなかったな。サバイバルでもっとも大事なことは、希望を持つことだから。

「アーサー、ぼくらはそれほど遠くには流されてないと思うよ。国際警察《こくさいけいさつ》は、この近くの島の捜索《そうさく》を始めているだろう。きっとすぐ見つけてもらえるさ。」

ぼくらはぬれた服をぬいでタオルで体をふくと、毛布《もうふ》にくるまってぐっすり眠《ねむ》ったんだ。


一夜明けて。

みごとな快晴《かいせい》。服もすっかりかわいている。

「おはよう、ポロロくん。」

アーサーも起き出してきて、枝《えだ》に広げておいた服を着こむ。そして、「あったぁ！」とうれしそうな声を上げて、上着の内ポケットからメガネを取り出した。

あ、そうか。いつにも増《ま》してアーサーがマヌケ面《づら》に見えると思ったら、メガネをかけてないせいだったんだな。波にさらわれないようしまっておいたとは、こいつにしては上出来だ。

「ポロロくん。おなかがへったねぇ。のどもかわいたし。」

「うん。まずは飲み水を探《さが》さないとな。」

まだ午前中なのに太陽がジリジリ照りつけていて、暑いのなんの。

きのう、波にもまれてだいぶ海水を飲んでしまったせいか、のどがヒリヒリする。

ぼくらはトランクに入っていた鍋《なべ》を1つずつぶらさげ、水を求めて歩き回ったが、水たまりやわき水を見つけることはできなかった。

「まずいな。脱水症状《だっすいしょうじょう》が心配だ。」

そうだ。幸い、入れ物はあるんだった！

鍋《なべ》にたっぷりと海水をくんでくると、アーサーに声をかける。

「アーサー、きみもその鍋《なべ》に海水をくんできてくれ。」

すると、アーサーは目をみはって言ったんだ。

「ポロロくん、いくらのどがかわいても……海水は飲んじゃダメだよ！　海水を飲んだら死んじゃうよ！」

おやおや。ぼくはあきれてアーサーをながめた。

かなり長いつきあいなんだから、ぼくがいかに博識《はくしき》かはわかってるだろうに。

海水を飲むと死んでしまうというのは本当だろうか。また、ポロロはなぜ海水をくんできたのだろうか。

## 解説《かいせつ》　海水を飲み水にする方法

どんなにのどがかわいても、海水をそのまま飲んではいけない。海水は塩分の濃《のう》度《ど》がとても高い。たくさん飲むと、人間の体は塩分を排出《はいしゅつ》するためによりたくさんの尿《にょう》を外に出そうとする。つまり、体はさらに水分を必要とするし、よけいにのどがかわくばかり。脱水症状《だっすいしょうじょう》や尿毒症《にょうどくしょう》を起こし、死んでしまう危険《きけん》があるのだ。

ポロロが行おうとしているのは、海水を蒸留《じょうりゅう》する次の方法だ。①大きな鍋《なべ》A《エー》に海水を入れ、その真ん中にコップを置く（コップに海水が入らないようにする）。②フタか、ぬらしたタオルを鍋《なべ》A《エー》にかぶせる。③その上に海水を入れた鍋《なべ》B《ビー》を置く。④鍋《なべ》A《エー》を火にかけると、鍋《なべ》A《エー》の海水から水蒸気《すいじょうき》が上り、鍋《なべ》B《ビー》の底面で冷やされてコップにたまる。鍋《なべ》が2つない場合は、③を省略《しょうりゃく》してもOK《オーケー》。

ほかの方法としては、早朝に草の葉の上の朝露《あさつゆ》を集める。また、ビニール袋《ぶくろ》があれば、青い草や葉を集めてビニール袋《ぶくろ》に入れ、口をしばって日光の下に置くと草葉から蒸発《じょうはつ》した水がたまる。

# 45

# 少年探偵《たんてい》ポロロと生命の火

## 危機《きき》→対処《たいしょ》？

鍋《なべ》の中に海水を入れ、その真ん中にコップを置く。鍋《なべ》にフタをするようにぴっちりタオルをかぶせて――。

「つまり、このタオルが水蒸気《すいじょうき》をキャッチしてくれるってわけだ。アーサー、その鍋《なべ》をこの上にのせてくれ。」

アーサーは感心したように、海水を入れた鍋《なべ》をそっとのせた。

「さすがはポロロくん。ぼく、こんな方法で飲み水が作れるとは知らなかったよ。」

「先客が道具を残してくれたおかげだね。ただ、もう一つやらなきゃならないことがあるよ。火を起こさなきゃ始まらない！」

「きっと、これが必要になると思ったんだよ。」

アーサーは得意《とくい》そうに、木ぎれと枝《えだ》を見せた。

アーサーはブーツにしこんだナイフを取り出し、平らな木ぎれの真ん中にくぼみを作る。枯《か》れ葉《は》を集めた上に木ぎれを置き、くぼみに枝《えだ》を合わせると、枝《えだ》を手のひらではさんでクルクル回転させはじめた。よく知られている摩擦《まさつ》で火を起こす方法だ。

「じゃあ、ぼくはかまどを作っておくよ。」


そこらへんから石を集めてきて、鍋《なべ》の大きさに合わせたかまどを作る。真ん中に枯《か》れ葉《は》や小枝《こえだ》をしいて、あとはここに火種を持ってくればいいだけだ。

ところが……アーサーの様子を見に行くと、まだ時間がかかりそうだ。摩擦《まさつ》で火を起こすのは、コツがいるらしいんだよな。

日ざしはますます強くなってきた。早く水を作らないと。

「アーサー、お疲《つか》れさま。別の方法を試してみよう。」

座《すわ》りこんでいるアーサーの頭の上から手を出して、彼《かれ》のメガネをはずす。すると
アーサーは意外そうな顔になり、ニヤッとした。
「ポロロくん、残念でした。虫メガネとちがって、メガネのレンズじゃ光は集められないよ。」
「虫メガネは凸《とつ》レンズで、メガネは凹《おう》レンズだってことくらいもちろん知ってるさ。だけどね、凹《おう》レンズを凸《とつ》レンズに変える秘策《ひさく》があるんだよ。」

**ポロロはメガネのレンズを使って、火を起こすつもりらしい。ポロロの言う秘策《ひさく》とはどんな方法だろうか。**

## 解説《かいせつ》　火を起こす方法

ライターやマッチがないときに火を起こす方法はいくつかある。虫メガネで日光を集めて黒い紙を燃《も》やす実験をやったことがある人は多いだろう。虫メガネに使われる凸《とつ》レンズは中央がふくらんでいて、光を集める働きがある。一方、メガネに使われる凹《おう》レンズはまわりが厚《あつ》くて中央が薄《うす》く、逆《ぎゃく》に光を広げる作用を持つ。

しかし、メガネのレンズの真ん中に水を張《は》れば、凸《とつ》レンズの機能《きのう》を持たせることができる。ポロロはこうしてアーサーのメガネで太陽光を集め、枯《か》れ草《くさ》に発火させて火種を作ったのだ。たき火ののろしが目印になり、2人はまもなく救助《きゅうじょ》された。

ちなみにレンズがない場合は、透明《とうめい》なビニール袋《ぶくろ》に水を入れて丸い形にしたものも使える。

46

# 少年探偵《たんてい》ポロロと砂漠《さばく》

危険《きけん》→なぜ？


「ポロロくん、ぼくはもうダメだよ。のどはカラカラだし、足は痛《いた》いし……。」

アーサーは今にも倒《たお》れこみそうだ。

探偵《たんてい》というのは忍耐強《にんたいづよ》くなければならない。「どんな苦しい状況《じょうきょう》のときも、あきらめないで打開策《だかいさく》を考えろ、グチを言うな」と、助手のアーサーには日ごろから言い聞かせているんだが。さすがに今は、そう言う気にはなれない。

どこまで行っても砂《すな》ばかり。太陽はギラギラとようしゃなく照りつけてくる。水筒《すいとう》の中身はとっくに空っぽ。

すぐれた頭脳《ずのう》と強じんな精神力《せいしんりょく》の持ち主である名探偵《めいたんてい》のぼくでさえ、うんざりしてるくらいだからな。

ぼくらは古代の財宝《ざいほう》をねらう犯罪集団《はんざいしゅうだん》を追って、エジプトにやってきた。しかし、犯人《はんにん》を警察《けいさつ》に引きわたしたあとで、ワナにかかってしまった。

「地元の警察《けいさつ》へお送りするように言われています」と車で現《あらわ》れたのが、じつは犯罪《はんざい》集団《しゅうだん》の残党《ざんとう》で――ぼくらは砂漠《さばく》の真ん中に置き去りにされたのだ。

ぼくらを砂漠《さばく》で遭難《そうなん》させ、間接的《かんせつてき》に殺《ころ》す作戦ってわけだ。

こんなときは、あせらず冷静になることが大事だ。歩きながら双眼鏡《そうがんきょう》で周囲《しゅうい》を見わたしていたぼくは――ついに見つけたんだ。

「アーサー、緑の植物がある。きっと水源《すいげん》が近くにあるはずだ。ここで待ってろ！」

ぼくは余力《よりょく》をふりしぼり、緑の見える方へ足を早めた。

さらに、鳥の動きを頼《たよ》りに、ぼくは細い川に行き当たることができた。もうこれでだいじょうぶ。ひとまず水筒《すいとう》を水でいっぱいにし、アーサーのところへ急いでもどったんだが。

ぼくは、目を疑《うたが》ったね。

アーサーは、腰《こし》くらいまで砂《すな》に埋《う》まっていたんだ。

ふつうの砂《すな》に見えるのに、アーサーのまわりだけが、ぬかるみみたいにドロドロしている。

「アーサー、何やってるんだ!?」

アーサーはウトウトしていたらしく、ぼくが声をかけるとハッとして目を開けた。

慎重《しんちょう》に手をのばして水筒《すいとう》をわたすと、アーサーはゴクゴク水を飲んで話しはじめた。

「足もとがやわらかいなと思って踏《ふ》んでたら、まわりに少し水が浮《う》いてきたんだよ。わき水かも、この下に水脈《すいみゃく》があるのかもと思って。もっと踏《ふ》んでみたらさ、体がどんどんしずんじゃって。」

「出られないのか?」

「ポロロくん、ぼくが喜《よろこ》んでここにつかってるとでも思ってるの!?」

「いや、もしかして、そこにひたってると冷たくて気持ちがいいのかもしれないと思ったのさ。」

アーサーは、ドロがこびりついた手をバタバタさせた。

「じょうだんじゃないよ！　このドロ、ネバネバして異様《いよう》に重たくて全然ぬけ出せないんだ。」

ぼくは、アーサーがはまりこんでいるぬかるみの周辺を用心深く歩きまわった。するると、右足がズボッと砂《すな》の中にはまってしまった。うまった足首のまわりから、ズブッと水がふきだす。

なんなんだ。これは。

ここで足を踏《ふ》んばってはダメだと直感し、ゆっくりしゃがんで左足をできるだけ遠くについた。姿勢《しせい》を低くして、右足を引っこぬくようにする。『大きなかぶ』のお話では、巨大《きょだい》なかぶを上じゃなく横方向に引っぱるだろう？　あんな感じだ。たしかにドロにつかった右足は鉛《なまり》のように重たい。ああ、なんとかぬけた！

「ポロロくん、早く助けてよ！　ここは底なし沼《ぬま》だ。しずんじゃうよ！」

こっちに手をのばすアーサーを見下ろして、ぼくは言った。
「ぼくが引っぱり上げるのは無理だな。いっしょにしずむのが関の山だ。」

**砂漠《さばく》に底なし沼《ぬま》などあるのだろうか。アーサーはこのましずんでしまうのだろうか。**

## 解説《かいせつ》　流砂《りゅうさ》

アーサーがしずみこんだものの正体は「流砂《りゅうさ》」だ。砂漠《さばく》の地下の深いところにある水源《すいげん》から水がわき出て、砂《すな》と混《ま》ざると流砂《りゅうさ》になる。パッと見はふつうの砂地《すなち》だが、ここに人が乗って圧力《あつりょく》がかかると、水分が押《お》し出されてドロのようになる。地《じ》震《しん》のときに生じる「液状化現象《えきじょうかげんしょう》」と同じ作用だ。流砂《りゅうさ》は圧力《あつりょく》、重み、振動《しんどう》が加わることで液状化《えきじょうか》する。だから、もがくほどしずんでいく「底なし沼《ぬま》」なのだ。

浮力《ふりょく》はあるので頭の先までしずむことはない。ただ、身動きが取れないまま時間が過《す》ぎると熱中症《ねっちゅうしょう》などで命を落としかねない。流砂《りゅうさ》は湿原《しつげん》や干潟《ひがた》にも見られるが、寒さや満潮《まんちょう》が命を奪《うば》う原因《げんいん》になる。

アーサーは、ポロロに教わった方法で流砂《りゅうさ》から脱出《だっしゅつ》できた。体を横にした方が圧《あっ》力《りょく》がかからないので、あお向けになるよう少しずつ足を上に持ち上げる。ドロに寝《ね》ている体勢《たいせい》になったら、腕《うで》をゆっくり背泳《せおよ》ぎのように動かすのだ。だれかに引っぱってもらっても、絶対《ぜったい》にぬけない。コツはバタバタせず、静かに体を動かすこと。

47

# オタクの避難《ひなん》

## 危険《きけん》↓なぜ？

あの大地震《だいじしん》のとき、オレは会社にいた。本棚《ほんだな》やロッカーがひっくり返って生きた心地《ここち》がしなかったけど、揺《ゆ》れがおさまって真っ先に思いうかんだのは家のフィギュアのコレクションのことだった。オレはいわゆるオタク。フィギュアをはじめとするキャラグッズ収集《しゅうしゅう》が生きがいだ。

早く帰りたくてしょうがなかったが、電車も動いてないらしい。上司のすすめに従《したが》って、その晩《ばん》は会社に泊《と》まることにしたんだ。

次の朝、外に出たオレは絶句《ぜっく》した。ここまでひどいとは！

アスファルトが割《わ》れ、店や電柱がかたむいたり――。地面が高く盛《も》り上がっているところもある。

これがニュースで言ってた液状化現象《えきじょうかげんしょう》というものか。激《はげ》しい揺《ゆ》れで、地盤《じばん》の砂《すな》から水が追い出されて表面に浮《う》きあがる。それで地盤《じばん》が液体《えきたい》のようにドロドロになるそうだ。

「ミナミダさん、まだ電車も動いてないし、会社にいた方がいいんじゃない？　こんなんじゃ歩いて帰るの危《あぶ》ないよ。」

同僚《どうりょう》がそう言ってくれたが、オレはやっぱり帰ることにした。会社での人づきあいが苦手なせいもある。

安全そうな道を探《さが》し、たれ下がっている電線にさわらないように気をつけて……オレはかなりの時間をかけ、ひとり暮《ぐ》らしをしているアパートにたどり着いた。

おお、わが城よ！　１日帰らなかっただけなのになつかしい！

「ミナミダさん。無事だったのね。よかった。」

アパートの前で、大家のおばさんが声をかけてきた。後ろには消防隊員《しょうぼうたいいん》もいる。

「ええ。昨日は会社に泊《と》まったんで。」

「あのね。ミナミダさん、部屋に入ってもいいけど、危《あぶ》ないからすぐに出てきてちょうだい。地盤《じばん》がかたむいてるし、つぶれる危険《きけん》があるらしいの。水道管が破裂《はれつ》して水は出ないし、電気もガスも止まってるし。他の部屋の人たちは、全員近くの避難所《ひなんじょ》に行ってるから。」

戦隊ヒーローやアニメキャラのフィギュアのコレクション棚《だな》は無残に倒《たお》れていた。

「5分で出てくるように」と言われたから、特に貴重《きちょう》なフィギュアだけをトートバッグに詰《つ》めこんで出る。フィギュアは大事だが、命も惜《お》しい。

そして、オレは近くの駐車場《ちゅうしゃじょう》にとめてあった車で避難所《ひなんじょ》に向かったんだ。

避難所《ひなんじょ》はかなり混《こ》んでいたが、係の人は「だいじょうぶ。まだ入れますよ」とにこやかに応対《おうたい》してくれた。1人につき2畳《じょう》分くらいのスペースがあり、ついたてもあって一応《いちおう》プライベートな空間にはなっている。

だが……オレには無理だ。

「やっぱりいいです」と言って、オレはそそくさと避難所《ひなんじょ》を出た。「心がせまい」と非難《ひなん》されそうだが、オレは子どものさわぎ声が苦手なんだ。

そうだ。どうせ寝《ね》るだけなら車の中にいればいい。避難所《ひなんじょ》の駐車場《ちゅうしゃじょう》にいれば食べ物の配給ももらえるし、困《こま》らないだろう。


ところが平和だったのは初日だけで、次の日から予期しないことが起こった。

この避難所《ひなんじょ》は小学校の体育館で――子どもたちにとって慣《な》れた場所のせいか、ヤツらはほとんど修学旅行《しゅうがくりょこう》ノリのはしゃぎっぷりなんだ。ガキどもは、オレが車のフロントガラスに並《なら》べているフィギュアに目をつけた。

窓《まど》をバンバンたたいて「おじちゃん『超硬《ちょうこう》ロボ軍キメイラー』好きなの？」とか「すげー、このロボ超《ちょう》レア！」だのさわがしい。無視《むし》してもガラスに顔をくっつけたりしてくる。どなりつけようとドアを開けたが最後、ガキどもはひょいと手をのばし、フィギュアを勝手に持ち出して逃《に》げていく。オレが外に出ると、別のガキが後部ドアを開けて勝手に入りこむ。毎日のようにガキどもと追いかけっこをするのにたえきれず、となり町のオタク仲間の家にいそうろうさせてもらえないかと頼《たの》んだのは1週間後のことだ。

「ガキどもに走り回らされて、毎日ヘトヘトだったよ。オレは高校の体育の授業《じゅぎょう》以来、何年も走ったことなんてないのにさ。」

会うなりグチをこぼすと、そいつは妙《みょう》なことを言ったんだ。

「でもさ、ガキどもがいてよかったよ。その子たちがいなかったら、ミナミダくんは死んでた可能性《かのうせい》だってあるよ。」


**友人は、主人公が子どもたちに走り回らされたのを「よかった」と言う。「ミナミダが死んでいた可能性《かのうせい》がある」とはどういう意味だろうか。**

## 解説《かいせつ》　エコノミークラス症候群《しょうこうぐん》

主人公は、子どもたちが接触《せっしょく》してこなければ車の中で一日中じっとして過《す》ごしただろう。だが、それはとても危険《きけん》なことなのだ。長時間車の中に座《すわ》りっぱなしで足を動かさずにいると血行不良が起こり、血栓《けっせん》（血のかたまり）ができてしまう。血栓《けっせん》が血管の中を流れて肺《はい》などに移動《いどう》すると、肺塞栓《はいそくせん》など命にかかわる病気を起こす危《き》険《けん》があるのだ。エコノミークラス症候群《しょうこうぐん》は、飛行機の安い席（エコノミークラスのせまい席）で長時間座《すわ》っている客に多かったためにこの名がついた。災害時《さいがいじ》に自家用車の中で過《す》ごす人にも多く、注意が呼《よ》びかけられている。

避難所《ひなんじょ》でも十分なスペースがなかったり、周囲《しゅうい》に気をつかったりして座《すわ》りっぱなしになりがちだ。エコノミークラス症候群《しょうこうぐん》を予防《よぼう》するには体を動かすこと。ときどき軽い体操《たいそう》やストレッチをしよう。かかとを上げ下げする運動、足指じゃんけんなどはせまい場所でもできる。避難所《ひなんじょ》にいるなら、掃除《そうじ》や手伝いを進んでやるのもオススメ。そのほか、体をしめつけない服を着る、水分をよくとることも大切だ。

48

# たった1人の救出劇《きゅうしゅつげき》

危機《きき》→対処《たいしょ》？


もし、地震《じしん》が起きるのが1分おそかったら、こんなことにはならなかったかもしれないのに！

あたしとキョウコは、インテリア雑貨店《ざっかてん》を共同で経営《けいえい》するパートナー同士《どうし》だ。今日は定休日で、在庫《ざいこ》を保管《ほかん》している倉庫のチェックに来ていたんだ。

あたしが「ブランケットの在庫《ざいこ》、奥《おく》のラックの上段《じょうだん》にあると思うんだけど見てくれる？」と言って、キョウコがたくさんのラックが並《なら》ぶ中に入っていって……。地震《じしん》が起こったのはその瞬間《しゅんかん》だった。

出口の近くにいたあたしはなんともなかったが、キョウコは倒《たお》れたラックに足をはさまれていて。あたしは、どうにかキョウコをラックの下から助け出したんだけど――。

「痛《いた》い！」

立ち上がろうとしたキョウコは、足を押《お》さえて座《すわ》りこんでしまった。

「たぶん骨折《こっせつ》はしてないと思うけど……。」

そう言いながら痛《いた》そうに顔をしかめるキョウコの両足首は、内出血してはれあがっている。骨折《こっせつ》はしてなくてもヒビが入ってるかも？　ねんざ？　打撲《だぼく》？　ともかく立てないくらいだから、肩《かた》を貸《か》しても歩けそうにない。

壁《かべ》に倒《たお》れかかったラックの上からまた一つ段《だん》ボールがすべり落ちてドキッとする。お皿やお鍋《なべ》とか、重いものは下のほうに収納《しゅうのう》しておいてよかった。あれが頭を直撃《ちょくげき》してたらと思うとゾッとする。

そうだ……早く脱出《だっしゅつ》しなくちゃ。また大きな揺《ゆ》れが来たら、何がくずれてくるかわからない。組み立て式のハンガーラックやおりたたみテーブル、木製《もくせい》のボックスなんかは上のほうに収納《しゅうのう》してあったかもしれない。

だけど、歩けないキョウコをどうやって外に連れ出せばいいんだろう。だれかに手伝ってもらおうにも、周辺は倉庫街で人なんかいない。キョウコはあたしより背《せ》が高いから、抱《だ》きかかえるのはもちろん、おんぶとかは無理。

電話で救急車《きゅうきゅうしゃ》を呼《よ》ぼうとしたが、つながらない。

駐車場《ちゅうしゃじょう》までのたった200メートルくらいの距離《きょり》が、ものすごく遠く感じられる。

あたしはそっと立ち上がって、倉庫の中を見回した。

そして――あたし1人でキョウコを運ぶ、いい方法を思いついたんだ。


**主人公は、何をどのように使ってキョウコを運んだのだろうか。**

## 解説《かいせつ》 災害時《さいがいじ》の救助《きゅうじょ》

主人公はブランケットにキョウコを寝《ね》かせ、頭の側を持ち上げて引っぱって運んだのだ。運び手が1人しかいない場合、この方法は有効《ゆうこう》。生地《きじ》がうすい布地《ぬのじ》は破《やぶ》れやすいし、患者《かんじゃ》の体に負担《ふたん》がかかるので避《さ》ける。2人いるなら毛布《もうふ》をハンモックのように使って運ぶといい。

ケガ人が出たらもちろん救急車《きゅうきゅうしゃ》を呼《よ》ぶのがベストだが、自力で運ばなければならない場合もあるだろう。数人いるならドアや畳《たたみ》など平らなものに寝《ね》かせて運ぶ。患《かん》者《じゃ》がイスに座《すわ》れる状態《じょうたい》なら座《すわ》ってもらい、イスごと運ぶのもアリ。患者《かんじゃ》の体が固定されるので、慣《な》れていない人でも運びやすい。ケガ人が頭を打っている場合などは特に注意して、できるだけ揺《ゆ》らさないように運ぶ。抱《だ》き上げたりおんぶするのは状《じょう》態《たい》を悪化させるリスクがあるので、素人《しろうと》向きではない。万が一患者《かんじゃ》を落としたりしては最悪なので、安全な運び方を選択《せんたく》しよう。

## 49

# SF《エスエフ》映画《えいが》のような朝

危険《きけん》→なぜ？


それはぼくが中国にやって来て1週間ほどたった春の日のことだった。

窓《まど》の外を見て、絶句《ぜっく》した。

一面、オレンジ色のもやがかかっていて、うす暗い。こういうの、映画《えいが》で見たことがあるぞ。世界の終末が近づいてるっていう話。

「ヤン、見てくれよ。外がすごいことになってる！」

ヤンは、ぼくがはしゃいだ声をあげると、あきれたような顔をした。

「これは黄砂《こうさ》だよ。きょうはだいぶひどい。だから、遊びに来るなら夏にしろって言ったのに。」

「でも、夏休みは大学の用事でいそがしくなりそうだったからさ。」

これが黄砂《こうさ》だったんだな。日本にも黄砂《こうさ》が飛んできてるっていうのはニュースで見たことあるけど、これほどじゃなかった。

ヤンはスマートフォンをながめて言った。

「きょうの外出はやめだ。大気汚染指数《たいきおせんしすう》が『危険《きけん》』レベルになってる。呼吸疾患《こきゅうしっかん》のある人は外出を控《ひか》えるように、と発表されてるよ。」

ぼくはスーツケースを開けると、中をゴソゴソ探《さぐ》った。

「ほら、見ろよ。ちゃんと持ってきたよ。ＰＭ《ピーエム》２・５対応《たいおう》マスク！」

ＰＭ《ピーエム》２・５とは大気中に浮遊《ふゆう》する直径２・５マイクロメートルの微粒子《びりゅうし》を示《しめ》す。１マイクロメートルは、１ミリの１０００分の１だ。微粒子《びりゅうし》を吸《す》いこむと肺《はい》の奥深《おくふか》くまで侵入《しんにゅう》して呼吸器系《こきゅうきけい》の病気を引きおこす原因《げんいん》になるそうだ。ぼくみたいに健康そのものでも、黄砂対策《こうさたいさく》にはふつうのマスクじゃダメだっていうからな。

マスクを差し出してみせたけど、ヤンの反応《はんのう》はうすい。そこで、ぼくはさらに、自分が注意深い人間だと示《しめ》すための道具を取り出した。

「ゴーグルもあるよ。目も防護《ぼうご》しなきゃいけないことくらい知ってるさ。ヤンが出かけないなら、1人で行くよ。死ぬわけじゃないだろう?」

それでも、ヤンはきびしい顔つきでぼくの前に立ちはだかったんだ。

「きみはもっと『視野《しや》』を広く持った方がいいね……文字通りに。でないと、マジで死ぬことになるかもしれないよ。」


**ヤンが心配しているのは呼吸器《こきゅうき》や目への影響《えいきょう》だけではないらしい。そのほかにどんな危険《きけん》を心配しているのだろうか。ヤンの言葉から推理《すいり》してみてほしい。**

## 解説《かいせつ》　黄砂《こうさ》

黄砂《こうさ》は、モンゴルや中国西部の砂漠地帯《さばくちたい》の砂《すな》が、強風で数千メートルの上空まで巻《ま》き上げられ、偏西風《へんせいふう》に乗って飛来し、大気中に浮遊《ふゆう》・降下《こうか》する現象《げんしょう》だ。日本にも3～5月ごろ、西日本を中心に飛来し、健康被害《けんこうひがい》が心配されている。非常《ひじょう》に細かい粒子《りゅうし》が肺《はい》などに入りこむと、呼吸器疾患《こきゅうきしっかん》などを起こす。また、砂《すな》に、工場などから排出《はいしゅつ》される有害物質《ゆうがいぶっしつ》や、感染症《かんせんしょう》のウイルスなどが付着することもある。

巨大《きょだい》な砂嵐《すなあらし》が起こった場合には、主人公が見たように外の光景がオレンジ色に染《そ》まり、もやのようになる。視界《しかい》が悪く、ひどいときには10メートル先さえ見えなくなる。だから、外出は危険《きけん》がいっぱいだ。黄砂《こうさ》の影響《えいきょう》で起こる交通事故《こうつうじこ》も、中国大陸では深刻《しんこく》な問題となっている。

# 50

# もう川になんか行かない
## 危険《きけん》↓逆転《ぎゃくてん》？

ずっと「夏といえば海！」とか言い出すヤツが苦手だった。「やたらはしゃいでバカみたいだな」とか思ってたけど、本当はうらやましかったんだ。そう気づいたから、大学生になったのをきっかけにぼくは自分を変えることにした。

そこで、夏休みになるとさっそく、自分と似《に》たようなタイプの友人に声をかけて川べりでキャンプをやることにしたんだ。いやぁ、やってみたら楽しいのなんの。しぶしぶついて来たタカオカも見たことないくらいハジけてたし。

ちょっと「無敵《むてき》」みたいな気分になってたんだよな。

夜になって激《はげ》しく雨が降《ふ》り出して――周りの人たちがテントを片《かた》づけて帰り始

めたときも危機感《ききかん》なんてまるでなかった。むしろ、ピンチをおもしろがっていた。

「危険《きけん》ですからテントを撤去《てっきょ》して帰宅《きたく》するように」と呼《よ》びかけられたのも無視《むし》してさ。

川べりのちょっと高くなってる場所にいれば問題ないと思ってたんだ。

後悔《こうかい》したのは朝になってからだ。いつのまにか、ぼくらのテントは川の中の小島みたいになっていて。あれよあれよという間にテントは流され、ぼくたちは増水《ぞうすい》した水にひざまでつかっていたんだ。

ひざまでの水がこんなに恐《おそ》ろしいなんて知らなかった。プールならどうってことないのに。水の流れは速くて、気をゆるめたら川に流されてしまいそうだった。ぼくら5人はしっかり手をつなぎ、寝不足《ねぶそく》と寒さでフラつきながら必死に足をふんばっていた。

だれかの通報《つうほう》でかけつけてくれたレスキュー隊の人たちもなかなかぼくらのところまで近寄《ちかよ》れなくて……。一時は死を覚悟《かくご》したよ。

全員が無事に救助《きゅうじょ》されて数日後のこと。高校のときの担任《たんにん》の先生が、わざわざ家までお見舞《みま》いに来てくれた。

「生きて帰れて本当によかった。あんな無茶をしちゃダメだよ。」

涙《なみだ》ぐんでやさしい言葉をかけてくれて――ぼくは胸《むね》が熱くなった。

「ご心配をおかけしてすみません。あのときは、ぼくも本当に死んじゃうと思いました。命がけで助けてくれたレスキュー隊の人には深く感謝《かんしゃ》していますし、今は心から反省しています。もう絶対《ぜったい》に川でキャンプはしません。」

すると、先生は急にけわしい顔になったんだ。

「その反省のしかたは少しちがうと思うね。きみは、今回の事故《じこ》の経験《けいけん》についてもっと深く考えるべきだよ。」


**先生の言葉にはどんな意味があるのだろうか。**

## 解説《かいせつ》　自然とのつきあい方

先生は、主人公の「もう絶対《ぜったい》に川でキャンプをしない」という言葉に違和感《いわかん》を持ったのだ。今回のことで得た大きな教訓をこれからに生かしてほしいと思ったのである。自然の中には危険《きけん》がつきものだ。だけど、「危険《きけん》だから近づかなければいい」という考えは単純《たんじゅん》にすぎる。たとえ家から出なくても、わたしたちは自然と無縁《むえん》なわけではない。

今回の事件《じけん》は主人公がこれまで自然に親しむ機会を持たず、自然を甘《あま》く見ていたために起こったともいえる。「豊《ゆた》かな自然に敬意《けいい》を持ち、これからは危険《きけん》に対して適切《てきせつ》に判断《はんだん》できる知識《ちしき》を持つように」と、先生は主人公に話したのである。

自然体験が少なかった人が大学生くらいになって海や山に遊びに行き、ハメをはずしてしまって命を落とす例は少なくない。自然は雄大《ゆうだい》であり、ときには脅威《きょうい》にもなる。だが、言葉では言いつくせない豊《ゆた》かさを与《あた》えてくれる存在《そんざい》でもある。知識《ちしき》と注意深さをもって、自然のすばらしさを味わってほしい。

# 参《さん》考《こう》文《ぶん》献《けん》

『いまさら恐竜入門』丸山貴史／著、マツダユカ／マンガ、田中康平／監修（西東社）
『科学で防災&サバイバル大百科①科学でそなえて防災！　大百科』夏緑（童心社）
『科学で防災&サバイバル大百科②科学でつくってサバイバル！　大百科』夏緑（童心社）
『火山列島・日本で生きぬくための30章』夏緑（童心社）
『火山に強くなる本』下鶴大輔／監修、火山防災用語研究会／編（山と溪谷社）
『子どものための防災ＢＯＯＫ　72時間生きぬくための１０１の方法』夏緑（童心社）
『こんなときどうする？ クイズで学べる！ 自然災害サバイバル』木原実／監修（日本図書センター）
『三陸海岸大津波』吉村昭（文藝春秋）
『地球　驚異の自然現象』ロバート・ディンウィディ、サイモン・ラム、ロス・レイノルズ

（河出書房新社）
『パッと見！　防災ブック』野村功次郎（大泉書店）
『防災・防犯シミュレーション！　大地震　そのときどうする？』国崎信江／監修（ほるぷ出版）
『防災・防犯シミュレーション！　気象災害　そのときどうする？』国崎信江／監修（ほるぷ出版）
『マンガでわかる災害の日本史』磯田道史／著、河田惠昭／防災監修、備前やすのり／マンガ（池田書店）
『みんなの津波避難22のルール』永野海（合同出版）
『みんなの防災事典　災害へのそなえから避難生活まで』山村武彦／監修（ＰＨＰ研究所）

**栗生こずえ**
東京都生まれ。小説家、編集者、ライター。マンガを紹介する書籍の編集多数、児童書ではショートショートから少女小説、伝記まで幅広く手がける。おもな作品に、「3分間サバイバル」シリーズ（あかね書房）、『トリッククラブ キミは18の錯覚にだまされる!』（集英社みらい文庫）、『かくされた意味に気がつけるか? 3分間ミステリー 真実はそこにある』（ポプラ社）、『ストロベリーデイズ 初恋〜トキメキの瞬間〜』『ストロベリーデイズ 友情〜くもりのち晴れ〜』（主婦の友社）など。『必ず書ける あなうめ読書感想文』（学研プラス）はロングセラーを記録中。

装画　LOW RISE
校正　有限会社シーモア
装丁　小口翔平＋奈良岡菜摘（tobufune）

**3分間サバイバル**
**生還せよ!　自然災害の脅威**

2022年2月初版　2023年10月第5刷

作　栗生こずえ
発行者　岡本光晴
発行所　株式会社あかね書房
〒101-0065 東京都千代田区西神田3-2-1
電話　営業（03）3263-0641
編集（03）3263-0644
印刷・製本　中央精版印刷株式会社

NDC913　255ページ　19cm×13cm

ISBN978-4-251-09682-1

https://www.akaneshobo.co.jp